Verbtabellen Plus
DEUTSCH

von
Eva Maria Weermann
Ulrike Wolk

PONS GmbH
Stuttgart

PONS

Verbtabellen Plus
DEUTSCH

von
Eva Maria Weermann
Ulrike Wolk

Auflage A1 5 4 3 2 1 / 2013 2012 2011 2010

© PONS GmbH, Rotebühlstraße 77, 70178 Stuttgart, 2010
PONS Produktinfos und Shop: www.pons.de
PONS Sprachenportal: www.pons.eu
E-Mail: info@pons.de
Alle Rechte vorbehalten.

Redaktion: Regina Reinboth-Kämpf, Arkadiusz Wrobel
Redaktionelle Mitarbeit: Canan Özdamar
Logoentwurf: Erwin Poell, Heidelberg
Logoüberarbeitung: Sabine Redlin, Ludwigsburg
Titelfoto: Vlado Golub, Stuttgart
Einbandgestaltung: Tanja Haller, Petra Hazer, Stuttgart
Layout/Satz: Satzkasten, Stuttgart
Druck und Bindung: Print Consult GmbH, Südliche Münchner Straße 24a, München

Printed in Slovak Republic.
ISBN: 978-3-12-561515-1

Inhalt

So benutzen Sie dieses Buch

Sie wollen die Formen eines bestimmten Verbs kennen lernen und dabei auf Besonderheiten und Unregelmäßigkeiten aufmerksam gemacht werden, Sie möchten aber auch eine seltene Verbform schnell nachschlagen können.

Die PONS Verbtabellen Plus Deutsch bieten Ihnen übersichtliche Konjugationstabellen zu 91 regelmäßigen und unregelmäßigen Musterverben sowie Musterkonjugationen für Verben mit trennbarem Präfix, reflexive Verben und das Passiv. Die Konjugationsmuster zeigen Ihnen die wichtigsten Formen – auch die zusammengesetzten – auf einen Blick; auf Besonderheiten wird durch farbige Hervorhebung hingewiesen. Außerdem wird in exemplarischen Übersichten deutlich gemacht, bei welchen Formen sich die Schreibweise und die Aussprache ändern. In verkürzter Form finden Sie zusätzlich weitere 28 Verben mit ihren typischen Unregelmäßigkeiten.

Aufbau der Konjugationstabellen

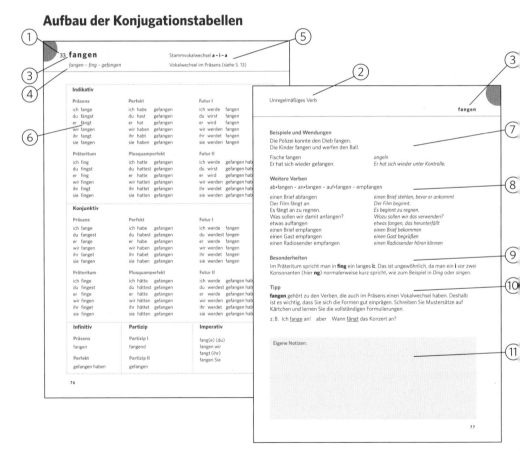

(1) Konjugationsnummer: Mit Hilfe dieser Nummer lassen sich alle Verben, die in der alphabetischen Verbliste am Ende des Buches aufgelistet sind, dem jeweils entsprechenden Konjugationsmuster zuordnen.

(2) Verbgruppe: Sie gibt in der Regel an, zu welcher der beiden deutschen Verbgruppen das Musterverb gehört:
    regelmäßige Konjugation
    unregelmäßige Konjugation

(3) Musterverb: Verb, das exemplarisch für alle ähnlichen Verben (mit gleicher Konjugationsnummer) steht.

(4) Stammformen: Die meisten Konjugationsformen der unregelmäßigen Verben lassen sich aus diesen drei Stammformen ableiten:
    1. Stammform: Infinitiv
    2. Stammform: 1. Person Singular Indikativ Präteritum
    3. Stammform: Partizip II
    Auch der Stammvokalwechsel gibt dies in verkürzter Form wieder (z. B. a – i – a für fangen – fing – gefangen).

(5) Kurzcharakteristik: Hier finden Sie Hinweise zu den Besonderheiten / Unregelmäßigkeiten des Konjugationsmusters (vor allem zum Stammvokalwechsel).

(6) Farbige Hervorhebung: Kennzeichen der unregelmäßigen Verben und Besonderheiten der Verben sowie Abweichungen in der Schreibweise und Aussprache sind blau gedruckt.

(7) Beispiele und Wendungen: Zu jedem konjugierten Verb auf der linken Seite finden Sie hier rechts nützliche Beispiele und Wendungen.

(8) Weitere Verben: Zu jedem konjugierten Verb auf der linken Seite finden Sie hier eine Auswahl der häufigsten Verben, die wie das Musterverb links konjugiert Verben, z. T. auch mit Wendungen.

(9) Besonderheiten: Hier erhalten Sie noch eine Erklärung zu Besonderheiten bei Konjugation oder Gebrauch dieser Verben.

(10) Tipp: Hier finden Sie weiterführende Tipps, die Ihnen das Lernen der Verben erleichtern sollen.

(11) Eigene Notizen: Hier haben Sie Platz für Ihre eigenen Notizen, um z. B. die Tipps gleich umzusetzen, oder um weitere Verben oder nützliche Wendungen zu notieren.

In der alphabetischen Verbliste am Ende der PONS Verbtabellen Plus Deutsch finden Sie weitere unregelmäßige und regelmäßige Verben mit Verweis auf das Konjugationsmuster, nach dessen Vorbild die Formen des gesuchten Verbs gebildet werden. Daneben informiert Sie diese Liste über die Verwendung von *haben* und *sein*, reflexive Verbformen sowie die Trennbarkeit von Präfixen.

Übrigens: Die Grammatik bietet Ihnen einen systematischen Überblick über die Zeiten und Modi. Ab Seite 198 haben Sie nochmals einen Überblick mit Beispielsätzen, der Ihnen bei der Wahl der richtigen Präpositionen für die häufigsten deutschen Verben hilft. Und ab Seite 202 können Sie die gelernten Verben üben und Ihr Wissen testen.

Viel Erfolg!

Lerntipps: So lernen Sie Verbkonjugationen

Mehrmals abschreiben

Haben Sie mit einer Konjugation Schwierigkeiten, dann schreiben Sie das Verb mehrmals ab, das hilft sich die Formen einzuprägen. Markieren Sie dann die Endungen und Besonderheiten einzelner Verbformen farbig.

Ähnliche Verben

Viele unregelmäßige Verben werden ähnlich konjugiert. Lernen Sie diese immer gemeinsam!

Tonfall ändern

Merken Sie sich die Verbformen in Beispielsätzen und sprechen Sie die konjugierten Formen mit dem zum Verb passenden Tonfall. Das Verb *hassen* sprechen Sie dann natürlich völlig anders als z. B. das Verb *lieben*.

Beispielsätze

Neue Wendungen und Verben können Sie effektiver lernen, indem Sie versuchen, sie in Beispielsätzen zu gebrauchen. Am Besten ist ein Zusammenhang, der mit Ihrem eigenen Leben zu tun hat, denn das können Sie sich am besten merken. Sie können zum Beispiel Ihre morgendlichen Aktivitäten durchgehen.

Textstellen markieren

Das Markieren von Textstellen oder Wörtern ermöglicht es, verschiedene Aspekte einer Fremdsprache gezielt zu üben. So können Sie zum Beispiel eine Zeitform, die Sie gerade gelernt haben, im Text markieren und in den unterschiedlichen Zusammenhängen lernen.

Synonyme und Antonyme

Erweitern Sie schnell Ihren Wortschatz, indem Sie Verben immer gleich mit dem Gegenteil (z. B. *nehmen* ≠ *geben*), oder mit einem Synonym (z. B. *nehmen* = *ergreifen*) lernen.

Verben + Präposition

Wenn ein Verb eine bestimmte Präposition braucht, dann lernen Sie diese immer mit – am besten in einem Satz.

Mehrmals pro Woche lernen

Setzen Sie sich beim Sprachenlernen realistische Ziele. Es braucht Zeit, eine Sprache zu lernen – also nehmen Sie sich nicht zu viel vor! Besser Sie lernen mehrmals pro Woche eine halbe Stunde, als nur einmal 5 Stunden.

Vokabelkärtchen

Auch Verbformen können wie Vokabeln mit Vokabelkärtchen gelernt werden. Schreiben Sie sich dazu je eine Verbform auf ein Kärtchen und den Infinitiv mit Beschreibung der Verbform auf die Rückseite. Sie müssen dabei nicht alle Verbformen verwenden – wählen Sie einfach die aus, die am häufigsten sind, und die, die Ihnen am schwersten fallen. Testen Sie nun Ihre Kenntnisse, indem Sie immer die Seite mit dem Infinitiv ansehen und die passende Form dazu bilden. Zur Kontrolle können Sie sie eine Woche später wieder anschauen und gegebenenfalls wiederholen.
Wenn Sie Schwierigkeiten haben, sich die Bedeutung eines Wortes, einer Wendung oder einer Formulierung zu merken, können Sie auch diese auf die Rückseite der Karte schreiben.

Sich aufnehmen

Wenn Sie zu den Menschen gehören, die gut durch Hören lernen können, dann hören Sie sich selbst zu! Nehmen Sie sich beim Sprechen der Verbkonjugationen auf – zum Beispiel mit einem Diktiergerät oder am PC – und hören Sie sich immer wieder an. Sie können bei der Aufnahme auch Pausen machen, in denen Sie das Gehörte dann noch zusätzlich nachsprechen können.

Würfeln

Trainieren Sie die Konjugationen unregelmäßiger Verben, indem Sie würfeln. Sie brauchen dazu zwei sechsseitige Würfel. Einen Würfel müssen Sie ein bisschen präparieren und auf jede Würfelseite ein Stück Papier mit einer anderen Zeitform kleben. Denken Sie sich nun ein unregelmäßiges Verb und würfeln Sie mit beiden Würfeln. Der normale Würfel gibt die Person vor (z. B. 1 - *ich;* 2 - *du;* 3 - *er, sie, es;* 4 - *wir;* 5 - *ihr;* 6 - *sie*), der Zeitenwürfel die entsprechende Zeitform. Bilden Sie die korrekte Form und auf zur nächsten Runde!

Vorsingen

Wenn Sie musikalisch sind, hilft es Ihnen vielleicht, wenn Sie kleine Melodien erfinden und sich die Konjugationsmuster oder die Formen mit den Stammvokalwechseln vorsingen. Experimentieren Sie mit Tonhöhe und Rhythmus, oder probieren Sie einen Rap – so prägen Sie sich vor allem häufige Muster gut ein.

Memory

Basteln Sie Memory-Kärtchen! Die Paare können aus *Infinitiv- und Partizipformen* oder aus *Präsens- und Vergangenheitsformen* etc. bestehen, je nachdem, was Sie besonders üben wollen. Vielleicht finden Sie noch weitere Sprachenlerner zum Mitspielen.

Grammatikbegriffe im Überblick

Lateinische Bezeichnung	Deutsch	In Ihrer Sprache
Akkusativ	Wenfall	
Aktiv	Tatform	
Dativ	Wemfall	
Futur I	unvollendete Zukunft	
Futur II	vollendete Zukunft	
Hilfsverb	Hilfszeitwort	
Imperativ	Befehlsform	
Indikativ	Wirklichkeitsform	
Infinitiv	Grundform des Zeitworts	
intransitives Verb	Tätigkeitswort ohne Akkusativobjekt	
Kompositum	zusammengesetztes Wort	
Konjugation	Beugung des Zeitworts	
Konjunktiv I	Möglichkeitsform in der Gegenwart	
Konjunktiv II	Möglichkeitsform in der Vergangenheit	
Konsonant	Mitlaut	
Modalverb	Zeitwort der Art und Weise	
Objekt	Ergänzung	
Orthographie	Rechtschreibung	
Partizip I	Mittelwort der Gegenwart	
Partizip II	Mittelwort der Vergangenheit	
Passiv	Leideform	
Perfekt	vollendete Gegenwart	
Personalpronomen	persönliches Fürwort	
Plural	Mehrzahl	
Plusquamperfekt	Vorvergangenheit	
Prädikat	Satzaussage	
Präfix	Vorsilbe	
Präsens	Gegenwart	
Präteritum	unvollendete Vergangenheit	
reflexives Verb	rückbezügliches Zeitwort	
Reflexivpronomen	rückbezügliches Fürwort	
Singular	Einzahl	
Subjekt	Satzgegenstand	
Tempus	Zeitform	
transitives Verb	Tätigkeitswort mit Akkusativobjekt	
Verb	Zeitwort	
Vokal	Selbstlaut	

Wissenswertes zur Konjugation der deutschen Verben

I. Wichtige Kategorien / Funktionen / Arten und Formen

Die Veränderung des Verbs wird Konjugation genannt. Im Folgenden sehen Sie eine Übersicht der Kategorien, nach denen sich Verben in der Konjugation verändern. Mehr Informationen zu Tempus und Modus finden Sie in Teil II dieses Grammatikkapitels.

1. Person und Numerus (welche Personen und wie viele)

Die Verben im Deutschen verändern sich mit der Perspektive des Sprechers und mit der Anzahl der Personen / Gegenstände des Subjekts (der handelnden Person im Satz). Die Perspektive des Sprechers bezeichnet man als **Person**, die Anzahl als **Numerus**.

Person \ Numerus	*Nur eine Person / Sache:* **Singular**	*Mehrere Personen / Sachen:* **Plural**
Perspektive des Sprechers: **1. Person**	*ich*	*wir*
Person, die direkt angesprochen wird: **2. Person**	*du*	*ihr*
Sache / Person, über die man spricht: **3. Person**	*er, sie, es*	*sie*

2. Tempus / die Tempora (die grammatischen Zeiten)

Das Tempus drückt aus, wann etwas passiert: ob es gerade jetzt passiert (Gegenwart), vor einiger Zeit passiert ist (Vergangenheit) oder erst passieren wird (Zukunft).

Gegenwart	**Präsens**	*Er spielt gerade Fußball.*
Vergangenheit	**Präteritum**	*Er spielte gestern Fußball.*
	Perfekt	*Er hat gestern Fußball gespielt.*
	Plusquamperfekt	*Er hatte kurz vorher Fußball gespielt.*
Zukunft	**Futur I**	*Er wird morgen Fußball spielen.*
	Futur II	*Er wird übermorgen Fußball gespielt haben.*

3. Modus / die Modi (die Aussageweise des Sprechers)

Der Modus eines Verbs drückt die Absicht des Sprechers sowie verschiedene Stufen von Wirklichkeit, Möglichkeit und Wahrscheinlichkeit aus:

Indikativ	*Er spielt Fußball.*
Konjunktiv	*Wenn er nicht krank wäre, spielte er Fußball.*
Imperativ	*Spiel sofort Fußball!*

4. Aktiv / Passiv (die Handlungsarten)

Aktiv	jmd. tut etwas	*Er spielt Fußball.*
Passiv	etwas wird getan	*Auf diesem Platz wird Fußball gespielt.*

5. Vollverben

Die meisten Verben gehören zu den Vollverben. Das heißt, sie können allein das Prädikat im Satz bilden. Das Prädikat drückt aus, was passiert oder was jemand tut.

z. B.　*Ich singe.*　　　　　　　　　　　　　　*(Verb ohne Ergänzung)*
　　　Ich trinke gerade Tee.　　　　　　　　*(Verb mit einer Ergänzung)*
　　　Draußen regnete es.　　　　　　　　　*(unpersönliches Verb)*
　　　Wir erinnern uns noch gut.　　　　　　*(reflexives Verb)*
　　　Danach schloss sie die Tür ab.　　　　　*(Verb mit einem trennbaren Zusatz)*

6. Hilfsverben

Zu den Hilfsverben gehören **sein, haben** und **werden**. Man braucht sie, um die zusammengesetzten Zeitformen zu bilden oder bei der Bildung des Passiv.

z. B.　*Sie hat lange gewartet, dann ist sie gegangen.*　　*(Perfekt)*
　　　Er hatte die Verabredung vergessen.　　　　　*(Plusquamperfekt)*
　　　Sie wird ihm das niemals verzeihen.　　　　　*(Futur)*
　　　Das Auto wurde verkauft.　　　　　　　　　*(Passiv, Präteritum)*

7. Modalverben

Die Modalverben bestimmen die Art und Weise, wie man etwas tut: gern oder nicht, freiwillig oder nicht, usw.

Es gibt sechs Modalverben: **dürfen, können, müssen, sollen, wollen, mögen**.

Modalverben kommen meist mit einem anderen Verb zusammen vor. Das zweite Verb steht dann im Infinitv am Satzende.

z. B.　*Sie soll morgen nicht kommen.*
　　　Ich kann mich nicht daran erinnern.

8. Transitive und intransitive Verben

Es gibt Verben, die eine Ergänzung brauchen. Diese Ergänzungen nennt man Objekte. Man unterscheidet dabei zwei Verbgruppen: die transitiven und die intransitiven Verben.

Transitive Verben stehen mit einem Akkusativ-Objekt und können grundsätzlich das Passiv bilden.

z. B.　*Ich backe einen Kuchen.* (Akkusativ)　　　　→ *Ein Kuchen wird (von mir) gebacken.*

Intransitive Verben haben entweder kein Objekt, ein Objekt, das einer Präposition folgt, oder ein Objekt im Dativ oder im Genitiv. Eine Liste von Verben mit Präpositionen finden Sie am Ende dieses Buches.

z. B.　*Es regnet.*　　(kein Objekt) → ohne Passiv
　　　Wir gedenken der Toten.　　(Genitiv-Objekt)
　　　Ich danke ihm.　　(Dativ-Objekt)
　　　Er spricht über sie.　　(Objekt mit Präposition)

9. Reflexive Verben

Viele Verben werden in Verbindung mit einem Reflexivpronomen (sich) benutzt. Das Reflexivpronomen bezieht sich auf das Subjekt des Satzes und kann im Akkusativ oder im Dativ stehen.

z. B.　*Ich freue mich. Du freust dich. Er freut sich.*　　　　　　　　　　　(Akkusativ)
　　　Wir freuen uns. Ihr freut euch. Sie freuen sich.
　　　Ich nehme mir etwas. Du nimmst dir etwas. Er nimmt sich etwas.　　　(Dativ)
　　　Wir nehmen uns etwas. Ihr nehmt euch etwas. Sie nehmen sich etwas.

Weitere Informationen sowie eine Liste wichtiger reflexiver Verben finden Sie in den Verbtabellen unter Nr. 7 (→ **sich sehnen**) und Nr. 8 (→ **sich überlegen**).

10. Persönliche und unpersönliche Verben

<u>Persönliche Verben</u> können in allen drei Personen im Singular und Plural stehen.

z. B. ich esse, du isst, er isst, wir essen, ihr esst, sie essen

<u>Unpersönliche Verben</u> stehen in Verbindung mit dem Pronomen **es** und drücken eine Handlung aus, deren Subjekt nicht definierbar ist oder nicht näher genannt wird. Diese Verben können nur mit *es* und nie mit einem anderen Subjekt stehen.

z. B. *Es regnet. Es schneit. Es geht um ...*

Manche Verben können als persönliche oder unpersönliche Verben benutzt werden, haben dann aber unterschiedliche Bedeutungen.

z. B. *Er gibt mir immer gute Ratschläge.* ↔ *Es gibt viele Wege.*

11. Regelmäßige und unregelmäßige Verben

Bei den <u>regelmäßigen Verben</u> verändert sich der Stamm des Verbs nicht. Im Präteritum erhält der Verbstamm die Endung **-te** und das Partizip II die Vorsilbe **ge-** und die Endung **-t**. Sie werden auch *schwache Verben* genannt.

z. B. holen → er holt, er hol**te**, sie haben **ge**hol**t** → Nr. 4

Bei <u>unregelmäßigen Verben</u> verändert sich der Stammvokal im Präteritum und teilweise auch im Partizip II. Im Präteritum sind die Verben meist endungslos. Das Partizip II hat die Endung **-en**. Sie werden auch **starke Verben** genannt.

z. B. sehen → er s**ie**ht, er s**a**h, sie haben **ge**s**e**h**en** → Nr. 72

Es gibt auch unregelmäßige Verben, die besondere Formen bilden. Bei diesen ändert sich mehr als der Stammvokal.

z. B. gehen → er geht, er ging, sie sind gegangen → Nr. 37

Weitere Verben dieser Gruppe sind:

stehen → Nr. 78, **haben** → Nr. 1, **treffen** → Nr. 83, **nehmen** → Nr. 61, **tun** → Nr. 85, **sein** → Nr. 2, **werden** → Nr. 3, **sitzen** → Nr. 75, **ziehen** → Nr. 91.

12. Bildung der Zeitformen

Verben setzen sich stets aus einem Verbstamm und den Personalendungen zusammen. Den Verbstamm erhält man, indem man die Personalendungen oder die Infinitivendung **-en** streicht, z. B. sagen → sagen → Verbstamm: **sag**

Die Bildung der Zeitformen für die regelmäßigen Verben sehen Sie am Musterverb **spielen** (→ Nr. 4). Für die Mehrzahl der unregelmäßigen Verben können Sie sich das Musterverb **singen** (→ Nr. 5) einprägen. Achten Sie aber stets auf den jeweils richtigen Stammvokalwechsel, z. B. **i - a - u** in s**i**ngen – s**a**ng – ges**u**ngen.

13. Verben mit Zusätzen (trennbare und untrennbare Präfixe)

Verben können mit Zusätzen (Präfixen) kombiniert werden. Dadurch bekommen die Verben eine neue Bedeutung.

z. B. laufen: **ab**laufen, **hin**laufen, **weg**laufen, **über**laufen, **zu**laufen

Viele Verbzusätze (Präfixe) sind trennbar, das heißt, sie werden in den konjugierten Formen abgetrennt und stehen dann am Ende des Satzes. Bei trennbaren Verben liegt die Betonung meist auf dem Präfix.

z. B. **weglaufen** → Dein Hund **läuft** immer wieder **weg**.

Trennbare Verben werden in diesem Buch mit einem • markiert, z. B.: mit•kommen.

Die wichtigsten trennbaren Präfixe sind: **ab-**, **an-**, **auf-**, **aus-**, **ein-**, **her-**, **hin-**, **los-**, **mit-**, **heraus-**, **herein-**, **vor-**, **weg-**, **weiter-**, **zu-**, **zurück-**.

Untrennbare Präfixe sind meist unbetont. Hier die wichtigsten: **be-**, **ent-**, **er-**, **ge-**, **wider-**, **ver-** und **zer-**. Das Präfix **miss-** ist untrennbar, wird aber betont ausgesprochen.

II. Finite und Infinite Verbformen

1. Tempus

Handlungen und Geschehen können in verschiedenen Zeiten stattfinden:

in der **Gegenwart**	– es passiert im Moment
in der **Vergangenheit**	– das Geschehen ist vorbei
in der **Zukunft**	– das Geschehen kommt noch

Im Deutschen wird das zeitliche Geschehen in sechs Tempora ausgedrückt.

Vergangenheit			Gegenwart	Zukunft	
Plusquamperfekt	Präteritum	Perfekt	Präsens	Futur I	Futur II
ich hatte gelesen	*ich las*	*ich habe gelesen*	*ich lese*	*ich werde lesen*	*ich werde gelesen haben*

Das Präsens und das Präteritum nennt man **einfache Zeiten**, Futur, Perfekt, Plusquamperfekt und Futur II heißen auch – aufgrund ihrer Bildung mit den Hilfsverben *haben, sein, werden* und dem Partizip II bzw. dem Infinitiv – **zusammengesetzte Zeiten**.

Die Tempora haben verschiedene Aufgaben bei der zeitlichen Darstellung von Handlungen oder Geschehen.

Präsens

Verwendung des Präsens

Das Präsens bezeichnet primär ein Geschehen in der Gegenwart. Es gibt jedoch einige Möglichkeiten, die Gegenwart zu modifizieren.

Es geschieht im Moment.	– *Er wäscht das Auto.*
Es geschieht immer so.	– *Ich stehe jeden Morgen um 6 Uhr auf.*
Etwas gilt immer.	– *Die Woche hat sieben Tage.*
Etwas Vergangenes soll wieder gegenwärtig werden.	– *Wir waren 1980 in Paris. Ich sehe uns noch auf dem Eiffelturm stehen.*
Etwas dauert bis jetzt an.	– *Ich lebe hier schon seit drei Monaten.*
Etwas geschieht in der Zukunft.	– *Morgen ziehe ich in die neue Wohnung.*

Bildung des Präsens (Indikativ)

Verbstamm + Personalendungen

regelmäßige und unregelmäßige Verben:

spielen → ich spiel-**e**, du spiel-**st**, er spiel-**t**, wir spiel-**en**, ihr spiel-**t**, sie spiel-**en**

fliegen → ich flieg-**e**, du flieg-**st**, er flieg-**t**, wir flieg-**en**, ihr flieg-**t**, sie flieg-**en**

Lautliche Besonderheiten im Präsens

e-Einschub: Endet der Verbstamm auf **-d** oder **-t**, wird in der 2. und 3. Person Singular sowie in der 2. Person Plural zwischen Stamm und Personalendung ein **-e-** eingefügt:

reden	→ du red**-e-**st, er red**-e-**t, ihr red**-e-**t	(unregelmäßige Verben)
reiten	→ du reit**-e-**st, er reit**-e-**t, ihr reit**-e-**t	(unregelmäßige Verben)

Ausnahme: Formen der unregelmäßigen Verben, die den Stammvokal in der 2. und 3. Person Singular wechseln, nehmen den **e-**Einschub nur in der 2. Person Plural:

halten	→ du hältst, er hält, ihr halt**-e-**t
laden	→ du lädst, er lädt, ihr lad**-e-**t

Regelmäßige Verben schieben ein **-e-** auch dann ein, wenn der Stamm auf **-m** oder **-n** endet und diesen Buchstaben ein weiterer Konsonant (außer *l, r, m* oder *n*) vorausgeht:

rechnen	→ du rechn**-e-**st, er rechn**-e-**t, ihr rechn**-e-**t
atmen	→ du atm**-e-**st, er atm**-e-**t, ihr atm**-e-**t

s-Ausfall: Endet der Verbstamm auf **-s**, **-ss**, **-ß**, **-x** oder **-z**, entfällt das **-s-** in der Endung der 2. Person Singular:

reisen	→ du reis-t	*(s)*	küssen	→ du küss-t	*(ss)*
grüßen	→ du grüß-t	*(ß)*	faxen	→ du fax-t	*(x)*
sitzen	→ du sitz-t	*(z)*		

e-Ausfall: Verben auf **-eln** verlieren in der 1. Person Singular das **-e-** des Stamms. Bei Verben auf **-ern** kann das umgangssprachlich auch vorkommen. Zusätzlich entfällt in der 1. und 3. Person Plural das **-e-** in der Personalendung:

klingeln	→ ich kling-l-e, wir klingel-n, sie klingel-n
erinnern	→ ich erinn-(e)r-e, wir erinner-n, sie erinner-n

Stammvokalwechsel: Einige unregelmäßige Verben wechseln in der 2. und 3. Person Singular den Vokal des Verbstamms durch Ablaut, d. h. **a → ä**, **o → ö**, **au → äu**, oder durch Übergang von **e → i / ie** oder **ä → ie** sowie **ö → i**:

tragen	→ du tr**ä**gst, er tr**ä**gt	stoßen	→ du st**ö**ßt, er st**ö**ßt
laufen	→ du l**äu**fst, er l**äu**ft	helfen	→ du h**i**lfst, er h**i**lft
lesen	→ du l**ie**st, er l**ie**st		

Präteritum

Verwendung des Präteritums

Das Präteritum liegt zeitlich vor dem Perfekt. Es beschreibt ein abgeschlossenes vergangenes Geschehen. Man verwendet es besonders in der Schriftsprache, in Romanen, Erzählungen, Zeitungsberichten, und Märchen:

z. B. *Wie ein Sprecher der spanischen Regierung gestern*   (Zeitungsbericht)
    bekannt <u>gab</u>, <u>kam</u> es bei Demonstrationen ...
    Ich <u>wollte</u> links <u>abbiegen</u>, daher <u>setzte</u> ich den Blinker   (Bericht für eine
    und <u>fuhr</u> ...   Versicherung)
    Sie <u>blieb</u> noch eine Weile stehen, dann <u>sah</u> sie auf die Uhr   (Roman / Erzählung)
    und <u>ging</u> langsam zur Tür ...

Bildung des Präteritums (Indikativ)

Verbstamm + t + Personalendungen
regelmäßige Verben:

ich spiel-**t**-e, du spiel-**t**-est, er spiel-**t**-e, wir spiel-**t**-en, ihr spiel-**t**-et, sie spiel-**t**-en

Bei den unregelmäßigen Verben ist die 1. und 3. Person Singular endungslos, zusätzlich wird in allen Formen der Stammvokal gewechselt:

fliegen → ich fl**o**g, du fl**o**g-st, er fl**o**g, wir fl**o**g-en, ihr fl**o**g-t, sie fl**o**g-en

Einige unregelmäßige Verben haben außerdem besondere Formen:

sitzen → ich s**aß**, du s**aß**-t, er s**aß**, wir s**aß**-en, ihr s**aß**-t, sie s**aß**-en

sein → ich **war**, du **war**-st, er **war**, wir **war**-en, ihr **war**-t, sie **war**-en

Lautliche Besonderheiten im Präteritum

e-Einschub: Regelmäßige Verben, deren Stamm auf **-d** oder **-t** endet, fügen zwischen Stamm und **-t-** immer ein **-e-** ein:

re**d**en ich red-**e**-te, du red-**e**-test, er red-**e**-te

wir red-**e**-ten, ihr red-**e**-tet, sie red-**e**-ten

arbei**t**en ich arbeit-**e**-te, du arbeit-**e**-test, er arbeit-**e**-te

wir arbeit-**e**-ten, ihr arbeit-**e**-tet, sie arbeit-**e**-ten

Ebenso regelmäßige Verben mit Stamm auf **-m** oder **-n**, denen ein anderer Konsonant (außer **-l-** oder **-r-** bzw. **-m-** oder **-n-**) vorausgeht:

rech**n**en ich rechn-**e**-te, du rechn-**e**-test, er rechn-**e**-te

wir rechn-**e**-ten, ihr rechn-**e**-tet, sie rechn-**e**-ten

at**m**en ich atm-**e**-te, du atm-**e**-test, er atm-**e**-te

wir atm-**e**-ten, ihr atm-**e**-tet, sie atm-**e**-ten

Unregelmäßige Verben, deren Stamm auf **-d** oder **-t** endet, fügen in der 2. Person Plural ein solches **-e-** ein:

finden → ihr fand-**e**-t halten → ihr hielt-**e**-t

Ebenso schieben unregelmäßige Verben, deren Stamm auf **-s**, **-ss**, **-z** oder **-ß** endet (und die einen Vokalwechsel von einem kurzen zu einem langen Vokal haben) manchmal in der 2. Person Singular und Plural ein solches **-e-** ein:

weisen → du wies-**e**-st, ihr wies-(**e**)-t lassen → du ließ-**e**-st, ihr ließ-(**e**)-t

Konsonantendoppelung: Unregelmäßige Verben, deren Stamm auf **-t**, **-f** oder **-ß** endet und die im Präteritum von einem langen zu einem kurzen Vokal wechseln, verdoppeln diesen Konsonanten in allen Personen:

streiten → ich stri**tt**, du stri**tt**st, ... reißen → ich ri**ss**, du ri**ss**est, ...

Wegfall des Doppelkonsonanten: Umgekehrt entfällt beim Wechsel von einem kurzen zu einem langen Vokal vor **-tt**, **-ff**, **-mm**, **-ll** und **-ss** der zweite Konsonant:

bi**tt**en → ich ba**t**, du ba**t**(e)st, ... tre**ff**en → ich tra**f**, du tra**f**st, ...

ko**mm**en → ich ka**m**, du ka**m**st, ... fa**ll**en → ich fie**l**, du fie**l**st, ...

la**ss**en → ich ließ, du ließest, ...

Perfekt

Verwendung des Perfekts

Das Perfekt wird ebenso wie das Präteritum für die Beschreibung von Ereignissen und Zuständen in der Vergangenheit verwendet. Im Gegensatz zum Präteritum, das meist im schriftlichen Deutsch gebraucht wird, verwendet man mündlich und umgangssprachlich eher das Perfekt.

z. B. *Was hast du gestern gemacht?*
Nicht viel. Ich habe nur ferngesehen.

Perfekt benutzt man auch für eine Handlung, die **noch nicht abgeschlossen** ist.

z. B. *Ich habe das Buch noch nicht zu Ende gelesen.*

Bildung des Perfekts (Indikativ)

Präsens von haben oder sein + Partizip II

z. B. *Ich   habe   gewartet.*
Er   ist   gelaufen.

Das **Partizip II** der regelmäßigen Verben entsteht durch Voranstellen des Präfix **ge-** und Anhängen der Endung **-t** an den Verbstamm.

z. B. kochen   → **ge** + koch + **t**

Die Mehrzahl der Verben bildet das Perfekt mit **haben**. Für folgende Verben benutzt man aber das Hilfsverb **sein**:

- Verben der **Bewegung**, z. B. **gehen, laufen, fahren, fliegen**
  Oma ist mit dem Bus in die Stadt gefahren.
- Verben, die die **Veränderung eines Zustandes** beschreiben, z. B. **werden, wachsen, schmelzen**
  Ich bin heute morgen zu spät aufgewacht.

Lautliche Besonderheiten im Perfekt

Verben, die einen **e**-Einschub haben, hängen **-et** an:

reden   → **ge**-red-**et**   warten   → **ge**-wart-**et**

Die unregelmäßigen Verben hängen die Endung **-(e)n** an und ändern teilweise den Stammvokal:

tragen   → **ge**-trag-**en**   fliegen   → **ge**-fl**o**g-**en**

Unregelmäßige Verben, die eine Konsonantendopplung im Präteritum aufweisen, behalten diese auch im Partizip II bei:

streiten   → gestri**tt**en   reißen   → geri**ss**en

Verben mit einem trennbaren Präfix schieben **-ge-** zwischen Präfix und Stamm:

absagen   → ab-**ge**-sag-**t**   aussteigen   → aus-**ge**-stieg-**en**

Verben mit untrennbarem Präfix und Verben auf **-ieren** bilden das Partizip II ohne **ge-**:

berichten   → be-richt-**en**   studieren   → studier-**t**

Plusquamperfekt

Verwendung des Plusquamperfekts

Das Plusquamperfekt braucht man, wenn ein Ereignis noch weiter in der Vergangenheit zurückliegt als ein anderes. Das andere Ereignis steht hier meistens im Präteritum.

z. B. *Als Tim kam, <u>war</u> Tom schon <u>gegangen</u>.*   (Erst ging Tom, dann kam Tim.)
Als ich ankam, <u>war</u> der Bus schon <u>abgefahren</u>.   (Ich kam an, der Bus fuhr zu einem früheren Zeitpunkt ab.)

Bildung des Plusquamperfekts (Indikativ)

Präteritum von haben oder sein + Partizip II

z. B. Ich   hatte   + gewartet.

Er   war + gelaufen.

Hinweise zur Bildung des Partizip II und der Verwendung von **haben** oder **sein** finden Sie im Kapitel zum Perfekt.

Futur

Verwendung des Futur

Das Futur bezeichnet ein Geschehen in der Zukunft. Meist verwendet man im Deutschen das Präsens zusammen mit einer Zeitangabe (*morgen, später, nächste Woche*), um eine zukünftige Handlung oder ein zukünftiges Ereignis auszudrücken.

z. B. *Ich gehe morgen in die Stadt.*

Sie bauen nächstes Jahr ein Haus.

Das grammatische Futur (Futur I) benutzt man vor allem dann, wenn man ein Versprechen oder eine Vorhersage oder Vermutung ausdrücken will.

z. B. *Ich werde dich bestimmt jeden Tag anrufen.*

Morgen wird es wahrscheinlich regnen.

Bildung des Futur I (Indikativ)

Präsens von werden + Infinitiv

spielen   → ich werde spielen, du wirst spielen, er wird spielen, ...

Futur II

Verwendung des Futur II

Das Futur II bezieht sich auf das Futur I. Es bezeichnet ein in der Zukunft abgeschlossenes Geschehen. Es kommt relativ selten vor. Man benutzt es zum Beispiel, um einen Plan auszudrücken, oder um zu sagen, bis wann man eine Tätigkeit oder ein Vorhaben abgeschlossen haben will.

z. B. *Bis Donnerstag werde ich das Buch gelesen haben.*

(→ Noch habe ich das Buch nicht gelesen, aber mein Plan ist, bis Donnerstag damit fertig zu sein.)

2030 wird er in Rente gegangen sein.

(→ Im Jahr 2030 liegt der Zeitpunkt, zu dem er in Rente geht, bereits hinter ihm.)

Manchmal benutzt man das Futur II auch, um eine Vermutung darüber auszudrücken, was jemand getan oder erledigt hat.

z. B. *Eva wird es ihm erzählt haben.*

(→ Ich weiß nicht, woher er es weiß, vermute aber, dass Eva es ihm erzählt hat.)

Bildung des Futur II (Indikativ)

Präsens von werden + Partizip II + haben oder sein

spielen   → ich werde gespielt haben, du wirst gespielt haben, er wird gespielt haben, ...

fliegen   → ich werde geflogen sein, du wirst geflogen sein, er wird geflogen sein, ...

Hinweise zur Bildung des Partizip II und der Verwendung von **haben** oder **sein** finden Sie im Kapitel zum Perfekt.

2. Modus: Indikativ, Konjunktiv und Imperativ

Ein Sprecher sagt etwas und verbindet damit eine Absicht. Der Modus, in dem er es sagt, gibt einen Hinweis auf diese Absicht.
Er kann es ganz neutral sagen:

→ *Er gibt mir das Messer.* (Indikativ)

Er gibt etwas wieder, was er gehört hat:

→ *Der Mann sagte, er gebe mir das Messer.* (Konjunktiv I)

Es kann sein, dass er sich nur etwas denkt:

→ *Es wäre gut, wenn ich jetzt ein Messer hätte.* (Konjunktiv II)

Oder er will eine Anweisung aussprechen:

→ *Gib mir das Messer!* (Imperativ)

Die Modi Indikativ, Konjunktiv I und Konjunktiv II sind dafür da, verschiedene Stufen von Möglichkeit und Wahrscheinlichkeit auszudrücken. Der Imperativ ist die Befehlsform und drückt am deutlichsten eine Absicht aus.

Indikativ

Verwendung des Indikativs

Der Indikativ ist der Modus, der am häufigsten gebraucht wird. Er wird auch Wirklichkeitsform genannt. Mit dem Indikativ sagt man, was ist, was geschehen ist oder was noch geschehen wird. Er wird auch benutzt, um Meinungen, Überzeugungen, Tatsachen und allgemeine Feststellungen auszudrücken. Entscheidend ist nicht, ob etwas tatsächlich wahr ist, sondern ob der Sprecher es als wahr darstellt.

z. B. *Deutschland hat 16 Bundesländer.* (Tatsache)
Die Erde ist eine Scheibe. (Behauptung)
Wir sind letztes Jahr in die Türkei gefahren. (Erzählen eines Ereignisses)
Wir essen heute abend zuhause. (Ausdruck eines Vorhabens)
Er wird das schaffen. (Vorhersage, Vermutung)

Bildung des Indikativs

Der Indikativ wird in den einzelnen Zeitstufen so gebildet, wie im vorigen Kapitel (Tempus) beschrieben.

Konjunktiv I

Verwendung des Konjunktiv I

Der Konjunktiv I ist typisch für die indirekte Rede und wird hauptsächlich in der Schriftsprache benutzt. Er drückt aus, dass sich der Sprecher von einer Aussage distanziert, dass er sich also nicht sicher ist, ob etwas wahr ist oder er es für falsch hält.

z. B. Der Sprecher **berichtet** von etwas:

→ *Er behauptet, er gehe regelmäßig zum Arzt.*

Der Sprecher ist sich **nicht sicher,** ob das Gesagte auch stimmt:

→ *Sie hat mir gesagt, sie sei krank.*

Der Sprecher **glaubt nicht**, was man ihm sagt oder teilt eine Meinung nicht:

→ *Sie findet, sie sei zu dick.*

Bildung des Konjunktiv I

Präsens:

Kennzeichen des Konjunktiv I ist ein **-e-** in allen Formen. Alle Verben bilden den Konjunktiv I mit dem gleichen Verbstamm wie das Präsens. Daran werden die Personalendungen gehängt.

spielen → ich spiel-e, du spiel-**e**st, er spiel-**e**, wir spiel-en, ihr spiel-**e**t, sie spiel-en

waschen → ich wasch-e, du wasch-**e**st, er wasch-**e**, wir wasch-en, ihr wasch-**e**t, sie wasch-en

Der Konjunktiv I wird häufig, besonders in der Umgangssprache, durch den Konjunktiv II (Präteritum) bzw. den Konjunktiv mit **würde** + Infinitiv ersetzt.

z. B. *Er sagt, er gehe oft zum Arzt.*

    → Er sagt, er ginge oft zum Arzt.   (Konjunktiv II)

    → Er sagt, er würde oft zum Arzt gehen.   (würde-Form)

Wenn man eine Meinung teilt, oder die Aussage eines anderen Sprechers nicht anzweifelt, benutzt man oft auch den Indikativ in der indirekten Rede, häufig auch in einem Nebensatz mit *dass*.

z.B: *Er sagt, dass er oft zum Arzt geht.*

Perfekt:

Um einen Konjunktiv in der Vergangenheit auszudrücken, benötigt man das Perfekt.

z. B. *Er sagte, er habe ihr geglaubt.*

   Sie glaubte, wir seien bereits am Vortag angekommen.

Konjunktiv I von haben oder sein + Partizip II

z. B. *Er*   *habe*   *geglaubt ...*

      Wir   *seien*   *angekommen ...*

Ausnahme: Die 1. Person Singular und Plural und die 3. Person Plural von *haben* werden mit dem Konjunktiv II gebildet, um Verwechslungen mit dem Perfekt Indikativ (ich habe, wir haben, sie haben) auszuschließen.

z. B. *Er sagte, ich hätte ihn belogen.*

Futur I:

z. B. *Die Kollegin sagte, sie werde morgen pünktlich sein.*

Konjunktiv I von werden + Infinitiv

z. B. *Er*   *werde*   *geben...*

      Sie   *werde*   *ankommen ...*

Ausnahme: Die 1. Person Singular und alle Personen im Plural werden mit der Ersatzform *würden* gebildet, um Verwechslungen mit dem Indikativ (ich werde, wir werden, ihr werdet, sie werden) auszuschließen:

z. B. *Ich sagte ihm, wir würden morgen um 11 Uhr ankommen.*

Futur II:

Konjunktiv I von werden + Partizip II + haben oder sein im Infinitiv

z. B. *ich*   *werde*   + *gespielt* + *haben*

      du   *werdest* + *geflogen* + *sein*

      er   *werde*   + *gegangen* + *sein*

Konjunktiv II

Verwendung des Konjunktiv II

Den Konjunktiv II benutzt man hauptsächlich, um etwas auszudrücken, das nicht möglich ist oder war. So können zum Beispiel **Bedingungen** für etwas ausgedrückt werden, das aber nicht real ist.

z. B. *Wenn ich viel Geld hätte, würde ich nicht mehr arbeiten.*
Wenn Susi schon 18 wäre, würde sie bestimmt den Führerschein machen.

Daneben benutzt man *haben, können, würden* und *sein* im Konjunktiv II auch, um einen **höflichen Wunsch** oder eine höfliche Bitte zu äußern:

z. B. *Ich hätte gern ein Kilo Trauben.*
Könnten Sie mir bitte Zucker bringen?
Würden Sie mir bitte sagen, wie spät es ist?

Mit **können, dürfen, müssen** und **sollen** im Konjunktiv II kann aber auch eine **Vermutung** formuliert werden. Vermutungen mit *können* und *dürfen* sind vorsichtiger, Vermutungen mit *müssen* und *sollen* relativ bestimmt.

z. B. *Es könnte sein, dass er sich nicht darüber freut.*   (Es ist möglich ...)
Sie dürfte ziemlich überrascht sein.   (Es ist wahrscheinlich ...)
Das müsste reichen.   (Es ist fast sicher ...)
Das sollte jetzt reichen.

Man kann den Konjunktiv II auch benutzen, um jemandem **einen Rat zu geben.**

z. B. *An deiner Stelle gäbe ich der Katze anderes Futter.*

Der Konjunktiv II wird auch mit „als ob ..." verwendet, um auszudrücken, dass jemand vorgibt, etwas zu tun oder zu sein:

z. B. *Sie tat so, als ob sie nichts wüsste.*

Man verwendet den Konjunktiv II in der **indirekten Rede**, wenn die Formen von Indikativ und Konjunktiv I gleich sind.

z. B. *Der Lehrer sagte, die Kinder müssten besser aufpassen.*

Bildung des Konjunktiv II

Präteritum:
Regelmäßige Verben:
genau wie Präteritum Indikativ
spielen → ich spiel-t-e, du spiel-t-est, er spiel-t-e, wir spiel-t-en, ihr spiel-t-et, sie spiel-t-en
Unregelmäßige Verben:
Verbstamm des Präteritums Indikativ + Endungen des Konjunktivs I
z. B. gehen: ich ging   + e   → *ich ginge*
Vorsicht! Es gibt viele *Ausnahmen*: Manche unregelmäßigen Verben ändern auch den Vokal des Präteritumstamms:
z. B. waschen: ich wüsch   + e   → *ich wüsche*
Der Konjunktiv II wird häufig durch **würde** + **Infinitiv** ersetzt.

Plusquamperfekt:
Konjunktiv II von haben oder sein + Partizip II
z. B. *ich   hätte   + gekauft*
        ich   wäre + gegangen

Futur I und II:
Die Formen des Futurs I und II im Konjunktiv II (*ich würde kaufen, ich würde gekauft haben* usw.) werden selten benutzt, deshalb werden sie hier nicht aufgeführt.

Konjunktiv mit *würde + Infinitiv*

Viele Konjunktivformen unterscheiden sich nicht von den Indikativformen. Deshalb wird der Konjunktiv häufig – vor allem in der Umgangssprache – mit *würde* (der Konjunktiv-II-Form von *werden*) und dem Infinitiv gebildet. Die würde-Form kann als Ersatz für fast alle Konjunktivformen genommen werden, steht aber vor allem für den Konjunktiv II.

Verwendung des Konjunktiv mit würde + Infinitiv

Genau wie den Konjunktiv II benutzt man auch den Konjunktiv mit *würde* hauptsächlich, um etwas auszudrücken, das nicht möglich ist oder war.
z. B. *Wenn ich im Lotto gewinnen würde, würde ich mir ein Haus kaufen.*
Außerdem verwendet man den Konjunktiv mit *würde* in Verbindung mit dem Wort *gern* auch für höfliche Wünsche.
z. B. *Ich würde gern nach Italien fahren.*

Bildung des Konjunktiv mit würde + Infinitiv

Konjunktiv II von werden + Infinitiv
z. B. *ich   würde   + spielen*
        → *Ich <u>würde</u> morgen Fußball <u>spielen</u>, wenn ich gesund wäre.*

Imperativ

Verwendung des Imperativs

Der Imperativ dient dazu, eine oder mehrere Personen dazu zu bringen, etwas zu tun.
z. B. *Gib mir doch bitte die Butter!*   (Bitte)
        Probier doch mal die blaue Bluse an!   (Ratschlag)
        Kommen Sie doch morgen zum Abendessen! (Einladung)
        Mach sofort die Tür zu!   (Befehl)

Bildung des Imperativs

In der 2. Person Singular (du-Form)
Verbstamm + (e)
z. B. mach + (e)   → *mach(e)!*   ruf + (e)   → *ruf(e)!*
Das **e** kann auch wegfallen. Es muss aber bei den Verben auf **-eln** und **-ern** und bei Stammendungen auf **-d**, **-t** oder **-ig** stehen:
z. B. red + e   → *rede!*   kling(e)l   + e   → *kling(e)le!*

Unregelmäßige Verben mit Vokalwechsel von **e → i** im Präsens wechseln den Vokal auch im Singular des Imperativs. Diese Verben haben kein **e** als Endung des Imperativs.

z. B. geben   → *gib!*   lesen   → *lies!*

In der 2. Person Plural (ihr-Form):
Verbstamm + -(e)t

z. B. mach + t   → *macht!*   ruf + t   → *ruft!*

Unregelmäßige Verben mit Vokalwechsel von **e → i** im Präsens wechseln hier den Vokal nicht.

z. B. geb + t   → *gebt!*   les + t   → *lest!*

In der 1. Person Plural + Höflichkeitsform:
Verbstamm + -en + Personalpronomen

geh   + en + wir / Sie   → *gehen wir! / gehen Sie!*

3. Passiv

Das Passiv findet man vor allem in Sach- und Fachtexten. Man beschreibt mit dem Passiv, was mit einer Person oder Sache gemacht wird.

Beim **Aktiv** steht die handelnde Person im Mittelpunkt, beim **Passiv** der Vorgang selbst. Da die Person nicht so wichtig ist, muss sie auch nicht genannt werden. Soll eine handelnde Person genannt werden, steht sie in Verbindung mit der Präposition **von**.

z. B. *Die Blumen werden von mir gegossen.*

Anstelle eines Subjekts kann auch **es** an erster Stelle im Satz stehen.

Es muss heute noch aufgeräumt werden.

Es gibt zwei Formen des Passiv:

das Vorgangspassiv	das Zustandspassiv
Die Waschmaschine wird repariert.	*Die Waschmaschine ist repariert.*
Der Ablauf der Handlung ist wichtig.	Der Zustand nach der Handlung ist wichtig.
Bildung:	Bildung:
mit einer Personalform von *werden*	mit einer Personalform von *sein*

Bildung des Passivs

Die meisten transitiven Verben (mit einem Akkusativobjekt) können das Passiv bilden.

z. B. *Der Monteur repariert die Waschmaschine.*

→ *Die Waschmaschine wird vom Monteur repariert.*

Das Präsens

Das **Vorgangspassiv**: werden + Partizip II
z. B. *Der Ofen wird am Abend angeheizt.*
Das **Zustandspassiv**: sein + Partizip II
z. B. *Am Abend ist der Ofen angeheizt.*

Das Präteritum

Das **Vorgangspassiv**: wurde + Partizip II
z. B. *Die Krankenschwester wurde gerufen.*
Das **Zustandspassiv**: war + Partizip II
z. B. *Der Operationssaal war schon vorbereitet.*

Das Perfekt
Das **Vorgangspassiv**: *sein* + Partizip II + *worden*
Das Partizip Perfekt von **werden** ist im Passiv **worden** (**nicht**: *geworden*)
z. B. *Der Fußballer ist für die Nationalmannschaft ausgesucht worden.*
Das **Zustandspassiv**: *sein* + Partizip II + *gewesen*
z. B. *Der Fußballer ist ausgesucht gewesen.*

Das Plusquamperfekt
Das **Vorgangspassiv**: *war* + Partizip II + *worden*
z. B. *Wir waren von dem Besuch überrascht worden.*
Das **Zustandspassiv**: *war* + Partizip II + *gewesen* (Es wird aber kaum benutzt.)
z. B. *Der Supermarkt war geöffnet gewesen.*

Das Futur I
Das **Vorgangspassiv**: *werden* + Partizip II + *werden*
z. B. *Die Weihnachtskarten werden rechtzeitig geschrieben werden.*
Das **Zustandspassiv**: *werden* + Partizip II + *sein*
z. B. *Die Kartoffeln werden geschält sein.*

Das Futur II
Das **Vorgangspassiv**: *werden* +Partizip II + *worden sein*
z. B. *Die Kartoffeln werden geschält worden sein.*
Das **Zustandspassiv**: *werden* + Partizip II + *gewesen sein*
z. B. *Die Kartoffeln werden geschält gewesen sein.*

Das Passiv des Konjunktiv I
Präsens: Konjunktiv I von *werden* + Partizip II
z. B. *Die Verkäuferin sagte, der Computer werde gebracht.*
Perfekt: Konjunktiv I von *sein* + Partizip II + *worden*
z. B. *Die Verkäuferin sagte, der Computer sei gebracht worden.*
Futur I: Konjunktiv I von *werden* + Partizip II + *werden*
z. B. *Der Computer werde gebracht werden, sobald das Büro eingerichtet ist.*
Futur II: Konjunktiv I von *werden* + Partizip II + *worden sein*
z. B. *Der Computer werde gebracht worden sein.*

Das Passiv des Konjunktiv II
Präteritum: *würde* + Partizip II
z. B. *Der Computer würde gebracht, wenn genug Personal da wäre.*
Plusquamperfekt: *wäre* + Partizip II + *worden*
z. B. *Der Computer wäre gebracht worden, wenn sie Zeit gehabt hätten.*

4. Die Modalverben
Die Modalverben bestimmen die Art und Weise, wie man etwas tut: gern oder nicht, freiwillig oder nicht usw. Es gibt sechs Modalverben: *dürfen, können, müssen, sollen, wollen, mögen*.
Modalverben kommen meist mit einem anderen Verb zusammen vor. Das zweite Verb steht dann im Infinitv am Satzende.

z. B. *Sie soll morgen nicht kommen.*
Bei den Modalverben wird das Partizip II in den zusammengesetzten Zeiten durch den Infinitiv ersetzt, wenn sie mit einem anderen Verb zusammen vorkommen.
z. B. *Sie hätte morgen kommen sollen.* (nicht: gesollt).

Die Bedeutung der Modalverben

Modalverb	Bedeutung	Beispiel
dürfen	Erlaubnis	*Ich **darf** Eis essen.*
können	Möglichkeit	*Sie **können** das Auto abholen.*
	Fähigkeit	*Sie **kann** das Rätsel lösen.*
	höfliche Bitte	***Können** Sie bitte helfen?*
	Erlaubnis	*Sie **können** mein Auto nehmen.*
mögen	ewas gern haben	*Ich **mag** Himbeereis.*
	Möglichkeit	*Du **magst** Recht haben.*
müssen	Notwendigkeit, Befehl oder	*Ich **muss** morgen wegfahren.*
	Aufforderung	*Du **musst** besser aufpassen!*
sollen	Aufforderung / Befehl	*Ich **soll** die Schuhe putzen.*
	Zweck/Gerücht	*Sie **soll** gestohlen haben.*
wollen	Wille oder Absicht	*Sie **will** das Abitur machen.*

Möchte ist im eigentlichen Sinne kein Modalverb, wird aber als solches benutzt. Es hat keinen eigenen Infinitiv und ist verwandt mit **mögen**.
Die Bedeutung von *möchte~*

*Ich **möchte** einmal nach Paris (fahren).*	jemand hat einen Wunsch
*Ich **möchte** einen Tee (trinken).*	beim Bestellen und Einkaufen (höflich)
*Ich **möchte** 150 Gramm Käse (kaufen).*	

Modalverben können auch ohne Infinitiv stehen.
z. B. *Ich möchte einen Tee.*   (gemeint ist: trinken)
     Kommst du mit? Nein, ich kann nicht.   (gemeint ist: mitkommen)
Wollen kann unfreundlich wirken. Es klingt besser, wenn man sagt:
z. B. *Ich möchte noch ein Bier.*

Die Negation der Modalverben

Max	**darf/soll**	am Wochenende	**nicht**	schwimmen.	Verbot
Paul	**kann**	morgen	**nicht**	zu dir kommen.	nicht möglich
Lea	**kann**	noch	**nicht**	Auto fahren.	nicht fähig
Vater	**möchte**	diese Woche	**nicht**	helfen.	keine Lust
Mutter	**muss**	dafür am Sonntag	**nicht**	kochen.	nicht notwendig
Spinat	**musst**	du	**nicht**	essen.	kein Zwang
Doris	**soll**	im Urlaub	**nicht**	so viel rauchen.	nicht in Ordnung

1 haben

haben – hatte – gehabt

Indikativ

Präsens	Perfekt	Futur I
ich habe	ich habe gehabt	ich werde haben
du hast	du hast gehabt	du wirst haben
er hat	er hat gehabt	er wird haben
wir haben	wir haben gehabt	wir werden haben
ihr habt	ihr habt gehabt	ihr werdet haben
sie haben	sie haben gehabt	sie werden haben

Präteritum	Plusquamperfekt	Futur II
ich hatte	ich hatte gehabt	ich werde gehabt haben
du hattest	du hattest gehabt	du wirst gehabt haben
er hatte	er hatte gehabt	er wird gehabt haben
wir hatten	wir hatten gehabt	wir werden gehabt haben
ihr hattet	ihr hattet gehabt	ihr werdet gehabt haben
sie hatten	sie hatten gehabt	sie werden gehabt haben

Konjunktiv

Präsens	Perfekt	Futur I
ich habe	ich habe gehabt	ich werde haben
du habest	du habest gehabt	du werdest haben
er habe	er habe gehabt	er werde haben
wir haben	wir haben gehabt	wir werden haben
ihr habet	ihr habet gehabt	ihr werdet haben
sie haben	sie haben gehabt	sie werden haben

Präteritum	Plusquamperfekt	Futur II
ich hätte	ich hätte gehabt	ich werde gehabt haben
du hättest	du hättest gehabt	du werdest gehabt haben
er hätte	er hätte gehabt	er werde gehabt haben
wir hätten	wir hätten gehabt	wir werden gehabt haben
ihr hättet	ihr hättet gehabt	ihr werdet gehabt haben
sie hätten	sie hätten gehabt	sie werden gehabt haben

Infinitiv

Präsens

haben

Perfekt

gehabt haben

Partizip

Partizip I

habend

Partizip II

gehabt

Imperativ

hab(e) (du)
haben wir
habt (ihr)
haben Sie

Beispiele und Wendungen

Anna hat viele Schuhe.
Tim und Tina Müller haben zwei Kinder und eine Katze.

Angst haben	*sich fürchten*
Spaß haben	*sich amüsieren*
Hunger haben	*hungrig sein*
Durst haben	*durstig sein*
eine Idee haben	*denken, etw. ausdenken*
Grippe / Schnupfen haben	*an Grippe / Schnupfen leiden*
etwas dagegen haben	*etwas nicht wollen*
etwas davon haben	*von etwas profitieren*
Er hat es gut.	*Er ist in einer guten Lage.*
Ich habe viel zu tun.	*Ich habe viel Arbeit.*
Ich habe es satt.	*Ich will das nicht länger.*
Ich hab's!	*Ich weiß es jetzt!*

Besonderheiten

Haben wird häufig als Hilfsverb zur Bildung der zusammengesetzten Zeiten (Perfekt, Plusquamperfekt, Futur II) verwendet.

z. B. <u>Hast</u> du dieses Buch schon gelesen?
Bevor ich etwas sagen konnte, <u>hatte</u> Marie die Tür schon geschlossen.
Vielleicht werde ich diese Arbeit morgen bereits erledigt <u>haben</u>.

Tipp

Die Wendung **ich hätte gern** bedeutet dasselbe wie *ich möchte* oder *ich will*, ist aber höflicher.

z. B. Ich hätte gern zwei Kilo Bananen.

Eigene Notizen:

2 **sein**

sein – war – gewesen

Indikativ

Präsens	Perfekt	Futur I
ich bin	ich bin gewesen	ich werde sein
du bist	du bist gewesen	du wirst sein
er ist	er ist gewesen	er wird sein
wir sind	wir sind gewesen	wir werden sein
ihr seid	ihr seid gewesen	ihr werdet sein
sie sind	sie sind gewesen	sie werden sein

Präteritum	Plusquamperfekt	Futur II
ich war	ich war gewesen	ich werde gewesen sein
du warst	du warst gewesen	du wirst gewesen sein
er war	er war gewesen	er wird gewesen sein
wir waren	wir waren gewesen	wir werden gewesen sein
ihr wart	ihr wart gewesen	ihr werdet gewesen sein
sie waren	sie waren gewesen	sie werden gewesen sein

Konjunktiv

Präsens	Perfekt	Futur I
ich sei	ich sei gewesen	ich werde sein
du sei(e)st	du sei(e)st gewesen	du werdest sein
er sei	er sei gewesen	er werde sein
wir seien	wir seien gewesen	wir werden sein
ihr sei(e)t	ihr sei(e)t gewesen	ihr werdet sein
sie seien	sie seien gewesen	sie werden sein

Präteritum	Plusquamperfekt	Futur II
ich wäre	ich wäre gewesen	ich werde gewesen sein
du wär(e)st	du wär(e)st gewesen	du werdest gewesen sein
er wäre	er wäre gewesen	er werde gewesen sein
wir wären	wir wären gewesen	wir werden gewesen sein
ihr wär(e)t	ihr wär(e)t gewesen	ihr werdet gewesen sein
sie wären	sie wären gewesen	sie werden gewesen sein

Infinitiv

Präsens

sein

Perfekt

gewesen sein

Partizip

Partizip I

seiend

Partizip II

gewesen

Imperativ

sei (du)
seien wir
seid (ihr)
seien Sie

Beispiele und Wendungen

Dina ist hübsch.
Abends war das Geschäft geschlossen.
Früher sind wir manchmal in den Wald gegangen.

jmdm. ist (es) kalt	*jmd. friert*
jmdm. ist (es) schlecht	*jmd. fühlt sich schlecht*
etwas ist zu tun	*etwas muss gemacht werden*
es sei denn ...	*außer, wenn ...*
wie dem auch sei ...	*egal wie es ist ...*
Es ist heiß.	*Das Wetter / die Temperatur ist heiß.*
Es ist Punkt zwölf.	*Die Uhrzeit ist zwölf Uhr.*
Er ist Lehrer.	*Sein Beruf ist Lehrer.*
Das Konzert ist um acht.	*Das Konzert beginnt um acht Uhr.*
Es ist viel zu tun.	*Wir müssen viel machen.*

Besonderheiten

Sein wird nicht nur als Vollverb, sondern auch als Hilfsverb gebraucht. Als Hilfsverb verwendet man *sein* bei manchen Verben (v.a. Verben der Bewegung oder Zustandsänderung) zur Bildung der zusammengesetzten Zeiten. Außerdem benutzt man es zur Bildung des Zustandspassivs.

z.B. Dieser Pullover <u>ist</u> rot.   (Vollverb)
  Wir <u>sind</u> nach Italien <u>gefahren</u>. (Perfekt)
  Dieses Bild <u>ist</u> bereits <u>verkauft</u>. (Zustandspassiv)

Vorsicht, das Verb **sein** kann man im Infinitiv leicht mit dem Possessiv-pronomen **sein** verwechseln!

z.B. Herr Müller wäscht <u>sein</u> Auto.   (Possessivpronomen)
  Das Auto muss immer sauber <u>sein</u>. (Verb im Infinitiv)

Eigene Notizen:

Stammvokalwechsel **e – u – o**

werden – wurde – worden/geworden

Indikativ

Präsens	Perfekt		Futur I	
ich werde	ich bin	(ge)worden	ich werde	werden
du wirst	du bist	(ge)worden	du wirst	werden
er wird	er ist	(ge)worden	er wird	werden
wir werden	wir sind	(ge)worden	wir werden	werden
ihr werdet	ihr seid	(ge)worden	ihr werdet	werden
sie werden	sie sind	(ge)worden	sie werden	werden

Präteritum	Plusquamperfekt		Futur II	
ich wurde	ich war	(ge)worden	ich werde	(ge)worden sein
du wurdest	du warst	(ge)worden	du wirst	(ge)worden sein
er wurde	er war	(ge)worden	er wird	(ge)worden sein
wir wurden	wir waren	(ge)worden	wir werden	(ge)worden sein
ihr wurdet	ihr wart	(ge)worden	ihr werdet	(ge)worden sein
sie wurden	sie waren	(ge)worden	sie werden	(ge)worden sein

Konjunktiv

Präsens	Perfekt		Futur I	
ich werde	ich sei	(ge)worden	ich werde	werden
du werdest	du sei(e)st	(ge)worden	du werdest	werden
er werde	er sei	(ge)worden	er werde	werden
wir werden	wir seien	(ge)worden	wir werden	werden
ihr werdet	ihr sei(e)t	(ge)worden	ihr werdet	werden
sie werden	sie seien	(ge)worden	sie werden	werden

Präteritum	Plusquamperfekt		Futur II	
ich würde	ich wäre	(ge)worden	ich werde	(ge)worden sein
du würdest	du wär(e)st	(ge)worden	du werdest	(ge)worden sein
er würde	er wäre	(ge)worden	er werde	(ge)worden sein
wir würden	wir wären	(ge)worden	wir werden	(ge)worden sein
ihr würdet	ihr wär(e)t	(ge)worden	ihr werdet	(ge)worden sein
sie würden	sie wären	(ge)worden	sie werden	(ge)worden sein

Infinitiv	Partizip	Imperativ
Präsens	**Partizip I**	werd(e) (du)
werden	werdend	werden wir
		werdet (ihr)
Perfekt	**Partizip II**	werden Sie
worden sein	worden / geworden	

Beispiele und Wendungen

Das Auto wird oft gewaschen.
Wenn du zu viel Schokolade isst, wirst du dick.
Was willst du werden, wenn du groß bist? Astronaut oder Taxifahrer?

Es wird Frühling.	*Der Frühling kommt.*
Es wird spät.	*Etwas dauert länger.*
Er wird 40.	*Er hat bald 40. Geburtstag.*
Mir wird kalt.	*Ich beginne zu frieren.*
Die Raupe wird zum Schmetterling.	*Die Raupe entwickelt sich zum Schmetterling.*
Was möchtest du einmal werden?	*Welchen Beruf willst du einmal haben?*
Das wird schon wieder.	*Alles wird okay sein.*
Daraus wird nichts.	*Das wird nicht passieren / gemacht.*
Der Kuchen ist etwas geworden.	*Der Kuchen ist gut gelungen.*

Besonderheiten

werden wird nicht nur als Vollverb, sondern auch als Hilfsverb verwendet. Als Hilfsverb braucht man *werden*, um Geschehen in der Zukunft zu beschreiben (Futur I und II) sowie zur Bildung des Vorgangspassivs.

z. B. Langsam <u>wird</u> es dunkel. (Vollverb)
Ich <u>werde</u> dich gleich morgen früh <u>anrufen</u>. (Futur I)
Das Büro <u>wird</u> jeden Tag <u>geputzt</u>. (Vorgangspassiv)

Beim Hilfsverb lautet das Partizip **worden**.

z. B. Das Büro ist gerade geputzt worden.

Beim Vollverb lautet das Partizip **geworden.**

z. B. Tanja ist gestern 30 geworden.

Eigene Notizen:

4 spielen

spielen – spielte – gespielt

Indikativ

Präsens	Perfekt	Futur I
ich spiele	ich habe gespielt	ich werde spielen
du spielst	du hast gespielt	du wirst spielen
er spielt	er hat gespielt	er wird spielen
wir spielen	wir haben gespielt	wir werden spielen
ihr spielt	ihr habt gespielt	ihr werdet spielen
sie spielen	sie haben gespielt	sie werden spielen

Präteritum	Plusquamperfekt	Futur II
ich spielte	ich hatte gespielt	ich werde gespielt haben
du spieltest	du hattest gespielt	du wirst gespielt haben
er spielte	er hatte gespielt	er wird gespielt haben
wir spielten	wir hatten gespielt	wir werden gespielt haben
ihr spieltet	ihr hattet gespielt	ihr werdet gespielt haben
sie spielten	sie hatten gespielt	sie werden gespielt haben

Konjunktiv

Präsens	Perfekt	Futur I
ich spiele	ich habe gespielt	ich werde spielen
du spielest	du habest gespielt	du werdest spielen
er spiele	er habe gespielt	er werde spielen
wir spielen	wir haben gespielt	wir werden spielen
ihr spielet	ihr habet gespielt	ihr werdet spielen
sie spielen	sie haben gespielt	sie werden spielen

Präteritum	Plusquamperfekt	Futur II
ich spielte	ich hätte gespielt	ich werde gespielt haben
du spieltest	du hättest gespielt	du werdest gespielt haben
er spielte	er hätte gespielt	er werde gespielt haben
wir spielten	wir hätten gespielt	wir werden gespielt haben
ihr spieltet	ihr hättet gespielt	ihr werdet gespielt haben
sie spielten	sie hätten gespielt	sie werden gespielt haben

Infinitiv

Präsens

spiel**en**

Perfekt

gespielt haben

Partizip

Partizip I

spiel**end**

Partizip II

gespiel**t**

Imperativ

spiel**(e)** (du)
spiel**en** wir
spiel**t** (ihr)
spiel**en** Sie

Beispiele und Wendungen

David Beckham spielt Fußball.
In diesem Film spielt Mel Gibson den Hamlet.
Mein Bruder spielt gerne Schach, ich spiele lieber Karten.
Maria ist sehr musikalisch. Sie spielt Geige, Klavier und Gitarre.

keine Rolle spielen	*nicht wichtig sein*
eine große Rolle spielen	*wichtig sein*
Der Film spielt in Mexiko.	*Die Handlung des Films ist in Mexiko.*

Weitere Verben

bauen – brauchen – kämpfen – hören – hoffen – machen – rauchen

einen Moment brauchen	*etwas Zeit benötigen*
das Essen machen	*das Essen kochen oder zubereiten*
sich Sorgen machen	*Angst haben, dass etwas passiert*
Das macht keinen Sinn.	*Das ist nicht logisch.*
Das macht 10 Euro.	*Das kostet 10 Euro.*

Besonderheiten

Spielen ist ein Beispiel für ein regelmäßiges Verb – die meisten Verben im Deutschen gehören zu dieser Gruppe. Alle regelmäßigen Verben haben die gleichen einfachen Formen für das Präteritum und für das Partizip.

Tipp

Prägen Sie sich dieses Verb gut ein. Wenn Sie die Formen beherrschen, können Sie jedes beliebige regelmäßige Verb konjugieren, ohne dafür eigene Formen lernen zu müssen.

Eigene Notizen:

5 **singen** Stammvokalwechsel **i – a – u**

singen – sang – gesungen

Indikativ

Präsens	Perfekt	Futur I
ich singe	ich habe gesungen	ich werde singen
du singst	du hast gesungen	du wirst singen
er singt	er hat gesungen	er wird singen
wir singen	wir haben gesungen	wir werden singen
ihr singt	ihr habt gesungen	ihr werdet singen
sie singen	sie haben gesungen	sie werden singen

Präteritum	Plusquamperfekt	Futur II
ich sang	ich hatte gesungen	ich werde gesungen haben
du sang(e)st	du hattest gesungen	du wirst gesungen haben
er sang	er hatte gesungen	er wird gesungen haben
wir sangen	wir hatten gesungen	wir werden gesungen haben
ihr sang(e)t	ihr hattet gesungen	ihr werdet gesungen haben
sie sangen	sie hatten gesungen	sie werden gesungen haben

Konjunktiv

Präsens	Perfekt	Futur I
ich singe	ich habe gesungen	ich werde singen
du singest	du habest gesungen	du werdest singen
er singe	er habe gesungen	er werde singen
wir singen	wir haben gesungen	wir werden singen
ihr singet	ihr habet gesungen	ihr werdet singen
sie singen	sie haben gesungen	sie werden singen

Präteritum	Plusquamperfekt	Futur II
ich sänge	ich hätte gesungen	ich werde gesungen haben
du sängest	du hättest gesungen	du werdest gesungen haben
er sänge	er hätte gesungen	er werde gesungen haben
wir sängen	wir hätten gesungen	wir werden gesungen haben
ihr sänget	ihr hättet gesungen	ihr werdet gesungen haben
sie sängen	sie hätten gesungen	sie werden gesungen haben

Infinitiv	Partizip	Imperativ
Präsens	**Partizip I**	sing**(e)** (du)
sing**en**	sing**end**	sing**en** wir
		sing**t** (ihr)
Perfekt	**Partizip II**	sing**en** Sie
gesungen haben	**ge**sung**en**	

Beispiele und Wendungen

Die Vögel singen im Garten.
Edeltraud kann sehr schön singen.
Am Ende der Feier sang der Chor noch ein paar schöne Lieder.

im Chor singen	*in einer Gruppe singen*
in den Schlaf singen	*durch Gesang zum Einschlafen bringen*
(beim Verhör) singen	*aussagen, jmdn. belasten* (umg.)

Weitere Verben

besingen – mit•singen – nach•singen – vor•singen

etwas besingen	*etwas loben, positiv darstellen*
Alle singen mit.	*Alle singen gemeinsam.*
Die Schüler singen das Lied nach.	*Die Schüler wiederholen das Lied.*
jmdm. ein Lied vorsingen	*so singen, dass jmd. das Lied lernt*

Tipp

Wenn Sie musikalisch sind, hilft es Ihnen vielleicht, wenn Sie kleine Melodien erfinden und sich die Konjugationsmuster oder die Formen mit den Stammvokalwechseln vorsingen. Experimentieren Sie mit Tonhöhe und Rhythmus, oder probieren Sie einen Rap – so prägen Sie sich vor allem häufige Muster gut ein.

Mehrere Verben bestehen aus dem Wort **singen** und einer Vorsilbe (z. B. **vor**singen, **mit**singen). Lernen Sie diese gleich zusammen. Genauso können Sie es auch bei vielen anderen Verben machen und damit gut und schnell Ihren Wortschatz erweitern (z. B. bieten – **an**bieten, **ver**bieten usw.).

Eigene Notizen:

aus•suchen

Verb mit trennbarem Präfix

aussuchen – suchte aus – ausgesucht

Indikativ

Präsens		Perfekt		Futur I	
ich suche	**aus**	ich habe	**aus**gesucht	ich werde	**aus**suchen
du suchst	**aus**	du hast	**aus**gesucht	du wirst	**aus**suchen
er sucht	**aus**	er hat	**aus**gesucht	er wird	**aus**suchen
wir suchen	**aus**	wir haben	**aus**gesucht	wir werden	**aus**suchen
ihr sucht	**aus**	ihr habt	**aus**gesucht	ihr werdet	**aus**suchen
sie suchen	**aus**	sie haben	**aus**gesucht	sie werden	**aus**suchen

Präteritum		Plusquamperfekt		Futur II	
ich suchte	**aus**	ich hatte	**aus**gesucht	ich werde	**aus**gesucht haben
du suchtest	**aus**	du hattest	**aus**gesucht	du wirst	**aus**gesucht haben
er suchte	**aus**	er hatte	**aus**gesucht	er wird	**aus**gesucht haben
wir suchten	**aus**	wir hatten	**aus**gesucht	wir werden	**aus**gesucht haben
ihr suchtet	**aus**	ihr hattet	**aus**gesucht	ihr werdet	**aus**gesucht haben
sie suchten	**aus**	sie hatten	**aus**gesucht	sie werden	**aus**gesucht haben

Konjunktiv

Präsens		Perfekt		Futur I	
ich suche	**aus**	ich habe	**aus**gesucht	ich werde	**aus**suchen
du suchest	**aus**	du habest	**aus**gesucht	du werdest	**aus**suchen
er suche	**aus**	er habe	**aus**gesucht	er werde	**aus**suchen
wir suchen	**aus**	wir haben	**aus**gesucht	wir werden	**aus**suchen
ihr suchet	**aus**	ihr habet	**aus**gesucht	ihr werdet	**aus**suchen
sie suchen	**aus**	sie haben	**aus**gesucht	sie werden	**aus**suchen

Präteritum		Plusquamperfekt		Futur II	
ich suchte	**aus**	ich hätte	**aus**gesucht	ich werde	**aus**gesucht haben
du suchtest	**aus**	du hättest	**aus**gesucht	du werdest	**aus**gesucht haben
er suchte	**aus**	er hätte	**aus**gesucht	er werde	**aus**gesucht haben
wir suchten	**aus**	wir hätten	**aus**gesucht	wir werden	**aus**gesucht haben
ihr suchtet	**aus**	ihr hättet	**aus**gesucht	ihr werdet	**aus**gesucht haben
sie suchten	**aus**	sie hätten	**aus**gesucht	sie werden	**aus**gesucht haben

Infinitiv

Präsens

aussuchen

Perfekt

ausgesucht haben

Partizip

Partizip I

aussuchend

Partizip II

ausgesucht

Imperativ

such(e) (du) **aus**
suchen wir **aus**
sucht (ihr) **aus**
suchen Sie **aus**

aus•suchen

Beispiele und Wendungen

Maria sucht sich ein neues Kleid aus.
Nehmen Sie, was Sie wollen: Sie können sich etwas aussuchen!

Such dir etwas aus!   *Wähle etwas aus!*

Weitere Verben

ab•holen – an•schauen – mit•spielen – nach•machen – zu•hören

Ich hole dich heute Abend ab.	*Ich komme zu dir, dann gehen wir los.*
Wir schauen einen Film an.	*Wir sehen einen Film.*
Da spiele ich nicht mit!	*Da mache ich nicht mit!*
Kannst du das nachmachen?	*Kannst du das imitieren?*
Hör bitte gut zu!	*Achte genau auf das, was ich sage!*

Besonderheiten

aus•suchen ist ein Beispiel für ein regelmäßiges Verb mit einem trennbaren Präfix. Das Präfix steht meist vom Verb getrennt am Ende des Satzes.

z. B.   Die Kinder suchten die schönste Katze <u>aus</u>.

Beim Partizip II geht das Präfix **aus** an den Beginn des Wortes. Es steht also vor dem Präfix **ge-**, das zum Partizip gehört: **aus•ge•sucht**

z. B.   Welches Buch hast du ausgesucht?

Tipp

Viele Präfixe sind trennbar. Die wichtigsten sind: ab-, an-, auf-, aus-, bei-, ein-, mit-, nach-, vor-, und zu-.

Eigene Notizen:

Reflexives Verb mit Reflexivpronomen im Akkusativ

Indikativ

Präsens

		Perfekt			Futur I		
ich sehne	**mich**	ich habe	**mich**	gesehnt	ich werde	**mich**	sehnen
du sehnst	**dich**	du hast	**dich**	gesehnt	du wirst	**dich**	sehnen
er sehnt	**sich**	er hat	**sich**	gesehnt	er wird	**sich**	sehnen
wir sehnen	**uns**	wir haben	**uns**	gesehnt	wir werden	**uns**	sehnen
ihr sehnt	**euch**	ihr habt	**euch**	gesehnt	ihr werdet	**euch**	sehnen
sie sehnen	**sich**	sie haben	**sich**	gesehnt	sie werden	**sich**	sehnen

Präteritum / Plusquamperfekt / Futur II

ich sehnte	**mich**	ich hatte	**mich**	gesehnt	ich werde	**mich**	gesehnt haben
du sehntest	**dich**	du hattest	**dich**	gesehnt	du wirst	**dich**	gesehnt haben
er sehnte	**sich**	er hatte	**sich**	gesehnt	er wird	**sich**	gesehnt haben
wir sehnten	**uns**	wir hatten	**uns**	gesehnt	wir werden	**uns**	gesehnt haben
ihr sehntet	**euch**	ihr hattet	**euch**	gesehnt	ihr werdet	**euch**	gesehnt haben
sie sehnten	**sich**	sie hatten	**sich**	gesehnt	sie werden	**sich**	gesehnt haben

Konjunktiv

Präsens / Perfekt / Futur I

ich sehne	**mich**	ich habe	**mich**	gesehnt	ich werde	**mich**	sehnen
du sehnest	**dich**	du habest	**dich**	gesehnt	du werdest	**dich**	sehnen
er sehne	**sich**	er habe	**sich**	gesehnt	er werde	**sich**	sehnen
wir sehnen	**uns**	wir haben	**uns**	gesehnt	wir werden	**uns**	sehnen
ihr sehnet	**euch**	ihr habet	**euch**	gesehnt	ihr werdet	**euch**	sehnen
sie sehnen	**sich**	sie haben	**sich**	gesehnt	sie werden	**sich**	sehnen

Präteritum / Plusquamperfekt / Futur II

ich sehnte	**mich**	ich hätte	**mich**	gesehnt	ich werde	**mich**	gesehnt haben
du sehntest	**dich**	du hättest	**dich**	gesehnt	du werdest	**dich**	gesehnt haben
er sehnte	**sich**	er hätte	**sich**	gesehnt	er werde	**sich**	gesehnt haben
wir sehnten	**uns**	wir hätten	**uns**	gesehnt	wir werden	**uns**	gesehnt haben
ihr sehntet	**euch**	ihr hättet	**euch**	gesehnt	ihr werdet	**euch**	gesehnt haben
sie sehnten	**sich**	sie hätten	**sich**	gesehnt	sie werden	**sich**	gesehnt haben

Infinitiv

Präsens

sich sehnen

Perfekt

sich gesehnt haben

Partizip

Partizip I

sich sehnend

Partizip II

sich gesehnt

Imperativ

sehn(e) **dich**
sehnen **wir** uns
sehnt **euch**
sehnen Sie **sich**

Beispiele und Wendungen

Romeo sehnt sich nach Julia.
Der Pinguin im Zoo sehnt sich nach der Antarktis.

sich nach etwas sehnen	*sich etwas stark wünschen*
Ich sehne mich nach Urlaub.	*Ich wünsche mir dringend Urlaub.*
Er sehnt sich nach Ruhe.	*Er wünscht sich, dass es still ist.*
Sie hat sich nach ihrer Heimat gesehnt.	*Sie hatte Heimweh.*

Weitere Verben

sich erinnern – sich freuen – sich irren – sich verspäten – sich wundern

Ich erinnere mich genau.	*Ich weiß noch genau, wie das war.*
sich über etwas freuen	*wegen etwas glücklich sein*
Du irrst dich!	*Du hast nicht recht!*
Wenn ich mich nicht irre, ...	*Wenn ich das richtig sehe, ...*
sich zu einem Termin verspäten	*zu einem Termin zu spät kommen*
Das würde mich wundern.	*Ich glaube nicht, dass das stimmt.*

Tipp

sich sehnen braucht das Reflexivpronomen im Akkusativ. Wenn Sie nur den Infinitiv lernen, können Sie es leicht mit einem Verb mit dem Reflexivpronomen im Dativ (siehe *sich überlegen*) verwechseln. Lernen Sie daher am besten immer gleich einen Beispielsatz.

z. B. sich sehnen   – Ich sehne <u>mich</u> nach dir!

Es gibt neben den sog. echten reflexiven Verben auch viele sog. unechte, bei denen anstelle des Reflexivpronomens auch etwas anderes stehen kann.

z. B. Ich bade <u>mich</u>.   – Ich bade <u>meinen Hund</u>.

Eigene Notizen:

8 sich überlegen

Indikativ

Präsens

ich	überlege	**mir**
du	überlegst	**dir**
er	überlegt	**sich**
wir	überlegen	**uns**
ihr	überlegt	**euch**
sie	überlegen	**sich**

Perfekt

ich	habe	**mir**	überlegt
du	hast	**dir**	überlegt
er	hat	**sich**	überlegt
wir	haben	**uns**	überlegt
ihr	habt	**euch**	überlegt
sie	haben	**sich**	überlegt

Futur I

ich	werde	**mir**	überlegen
du	wirst	**dir**	überlegen
er	wird	**sich**	überlegen
wir	werden	**uns**	überlegen
ihr	werdet	**euch**	überlegen
sie	werden	**sich**	überlegen

Präteritum

ich	überlegte	**mir**
du	überlegtest	**dir**
er	überlegte	**sich**
wir	überlegten	**uns**
ihr	überlegtet	**euch**
sie	überlegten	**sich**

Plusquamperfekt

ich	hatte	**mir**	überlegt
du	hattest	**dir**	überlegt
er	hatte	**sich**	überlegt
wir	hatten	**uns**	überlegt
ihr	hattet	**euch**	überlegt
sie	hatten	**sich**	überlegt

Futur II

ich	werde	**mir**	überlegt haben
du	wirst	**dir**	überlegt haben
er	wird	**sich**	überlegt haben
wir	werden	**uns**	überlegt haben
ihr	werdet	**euch**	überlegt haben
sie	werden	**sich**	überlegt haben

Konjunktiv

Präsens

ich	überlege	**mir**
du	überlegest	**dir**
er	überlege	**sich**
wir	überlegen	**uns**
ihr	überleget	**euch**
sie	überlegen	**sich**

Perfekt

ich	habe	**mir**	überlegt
du	habest	**dir**	überlegt
er	habe	**sich**	überlegt
wir	haben	**uns**	überlegt
ihr	habet	**euch**	überlegt
sie	haben	**sich**	überlegt

Futur I

ich	werde	**mir**	überlegen
du	werdest	**dir**	überlegen
er	werde	**sich**	überlegen
wir	werden	**uns**	überlegen
ihr	werdet	**euch**	überlegen
sie	werden	**sich**	überlegen

Präteritum

ich	überlegte	**mir**
du	überlegtest	**dir**
er	überlegte	**sich**
wir	überlegten	**uns**
ihr	überlegtet	**euch**
sie	überlegten	**sich**

Plusquamperfekt

ich	hätte	**mir**	überlegt
du	hättest	**dir**	überlegt
er	hätte	**sich**	überlegt
wir	hätten	**uns**	überlegt
ihr	hättet	**euch**	überlegt
sie	hätten	**sich**	überlegt

Futur II

ich	werde	**mir**	überlegt haben
du	werdest	**dir**	überlegt haben
er	werde	**sich**	überlegt haben
wir	werden	**uns**	überlegt haben
ihr	werdet	**euch**	überlegt haben
sie	werden	**sich**	überlegt haben

Infinitiv

Präsens

sich überlegen

Perfekt

sich überlegt haben

Partizip

Partizip I

sich überlegend

Partizip II

sich überlegt

Imperativ

überleg(e) **dir**
überlegen wir **uns**
überlegt **euch**
überlegen Sie **sich**

Beispiele und Wendungen

Ich habe mir alles genau überlegt.
Wir sollten uns bald überlegen, wohin wir in den Urlaub fahren wollen.

sich etwas überlegen	*über etwas nachdenken*
Das muss ich mir noch überlegen.	*Ich will noch darüber nachdenken.*
Hast du dir schon etwas überlegt?	*Hast du schon eine Idee?*

Weitere Verben

sich (etwas) an•schauen – sich (etwas) nehmen – sich (etwas) vor•nehmen

Ich schaue mir einen Film an.	*Ich sehe einen Film.*
sich für etwas Zeit nehmen	*etwas langsam und in Ruhe tun*
Er nimmt sich morgen frei.	*Er wird morgen Urlaub machen.*
Was hast du dir vorgenommen?	*Was hast du geplant?*

Tipp

sich überlegen braucht das Reflexivpronomen im Dativ. Wenn Sie nur den Infinitiv lernen, können Sie es leicht mit einem Verb mit dem Reflexivpronomen im Akkusativ (siehe *sich sehnen*) verwechseln. Lernen Sie daher am besten immer gleich einen Beispielsatz.

z. B. sich anschauen
– Ich schaue <u>mich</u> im Spiegel an.
– Ich schaue <u>mir</u> einen Film an.

Bei den sog. echten reflexiven Verben muss immer das Reflexivpronomen für die jeweilige Person stehen. Es lässt sich nicht ersetzen.
Neben den echten reflexiven Verben gibt es aber auch viele sog. unechte, bei denen anstelle dieses Pronomens auch etwas anderes stehen kann.

z. B. Ich koche <u>mir</u> Tee.
– Ich koche <u>dir</u> Tee.

Eigene Notizen:

Indikativ

Präsens

ich	**werde**	geliebt
du	**wirst**	geliebt
er	**wird**	geliebt
wir	**werden**	geliebt
ihr	**werdet**	geliebt
sie	**werden**	geliebt

Perfekt

ich	**bin**	geliebt **worden**
du	**bist**	geliebt **worden**
er	**ist**	geliebt **worden**
wir	**sind**	geliebt **worden**
ihr	**seid**	geliebt **worden**
sie	**sind**	geliebt **worden**

Futur I

ich	**werde**	geliebt **werden**
du	**wirst**	geliebt **werden**
er	**wird**	geliebt **werden**
wir	**werden**	geliebt **werden**
ihr	**werdet**	geliebt **werden**
sie	**werden**	geliebt **werden**

Präteritum

ich	**wurde**	geliebt
du	**wurdest**	geliebt
er	**wurde**	geliebt
wir	**wurden**	geliebt
ihr	**wurdet**	geliebt
sie	**wurden**	geliebt

Plusquamperfekt

ich	**war**	geliebt **worden**
du	**warst**	geliebt **worden**
er	**war**	geliebt **worden**
wir	**waren**	geliebt **worden**
ihr	**wart**	geliebt **worden**
sie	**waren**	geliebt **worden**

Futur II

ich	**werde**	geliebt **worden sein**
du	**wirst**	geliebt **worden sein**
er	**wird**	geliebt **worden sein**
wir	**werden**	geliebt **worden sein**
ihr	**werdet**	geliebt **worden sein**
sie	**werden**	geliebt **worden sein**

Konjunktiv

Präsens

ich	**werde**	geliebt
du	**werdest**	geliebt
er	**werde**	geliebt
wir	**werden**	geliebt
ihr	**werdet**	geliebt
sie	**werden**	geliebt

Perfekt

ich	**sei**	geliebt **worden**
du	**sei(e)st**	geliebt **worden**
er	**sei**	geliebt **worden**
wir	**seien**	geliebt **worden**
ihr	**sei(e)t**	geliebt **worden**
sie	**seien**	geliebt **worden**

Futur I

ich	**werde**	geliebt **werden**
du	**werdest**	geliebt **werden**
er	**werde**	geliebt **werden**
wir	**werden**	geliebt **werden**
ihr	**werdet**	geliebt **werden**
sie	**werden**	geliebt **werden**

Präteritum

ich	**würde**	geliebt
du	**würdest**	geliebt
er	**würde**	geliebt
wir	**würden**	geliebt
ihr	**würdet**	geliebt
sie	**würden**	geliebt

Plusquamperfekt

ich	**wäre**	geliebt **worden**
du	**wär(e)st**	geliebt **worden**
er	**wäre**	geliebt **worden**
wir	**wären**	geliebt **worden**
ihr	**wär(e)t**	geliebt **worden**
sie	**wären**	geliebt **worden**

Futur II

ich	**werde**	geliebt **worden sein**
du	**werdest**	geliebt **worden sein**
er	**werde**	geliebt **worden sein**
wir	**werden**	geliebt **worden sein**
ihr	**werdet**	geliebt **worden sein**
sie	**werden**	geliebt **worden sein**

Infinitiv

Präsens

geliebt **werden**

Perfekt

geliebt **worden sein**

Partizip

Partizip I

geliebt **werdend**

Partizip II

geliebt **worden**

Imperativ

—

—

—

—

Beispiele und Wendungen

Prinzessin Diana wurde von vielen Menschen sehr geliebt.

Wie wird das gemacht?	*Wie funktioniert das?*
Der Fisch wird gebacken.	*Zur Zubereitung bäckt man den Fisch*
Wird erledigt!	*Ich mache das!*
Plastik wird aus Erdöl gewonnen.	*Man macht Plastik aus Erdöl.*
Fenster werden aus Glas gemacht.	*Man stellt Fenster aus Glas her.*
1492 wurde Amerika entdeckt.	*1492 entdeckte Columbus Amerika.*
Wann wurde das Penicillin erfunden?	*Wann erfand jemand das Penicillin?*
Das wird gern genommen.	*Das ist sehr beliebt.*
Das wird mit Sahne gegessen.	*Die meisten Leute essen das mit Sahne.*
An Ostern werden Eier versteckt.	*Es ist üblich, an Ostern Eier zu verstecken.*
Es wird erzählt, dass ...	*Die Leute sagen, dass ...*
Darüber wurde lange gesprochen.	*Das war lange ein wichtiges Thema.*
Der Verstorbene wird beerdigt.	*man begräbt jmdn., der gestorben ist*
Die Ergebnisse werden veröffentlicht.	*Man macht die Ergebnisse öffentlich.*
Hier wird nicht geraucht!	*Rauchen ist hier verboten!*
Die Lottozahlen werden gezogen.	*Lottozahlen werden durch eine Maschine ausgesucht.*
Die Olympiasieger werden geehrt.	*Die Olympiasieger erhalten Ehrungen.*
Das Diplom wird hier anerkannt.	*Das Diplom bekommt hier Gültigkeit.*

Besonderheiten

geliebt werden ist ein Beispiel für das Vorgangspassiv. Das Vorgangspassiv wird immer mit **werden** und dem **Partizip II** gebildet.
Die meisten transitiven Verben, das heißt Verben, die eine Ergänzung im Akkusativ brauchen, können das Vorgangspassiv bilden.

Eigene Notizen:

10 **verliebt sein**

Indikativ

Präsens		Perfekt		Futur I	
ich **bin**	verliebt	ich **bin**	verliebt **gewesen**	ich **werde**	verliebt sein
du **bist**	verliebt	du **bist**	verliebt **gewesen**	du **wirst**	verliebt sein
er **ist**	verliebt	er **ist**	verliebt **gewesen**	er **wird**	verliebt sein
wir **sind**	verliebt	wir **sind**	verliebt **gewesen**	wir **werden**	verliebt sein
ihr **seid**	verliebt	ihr **seid**	verliebt **gewesen**	ihr **werdet**	verliebt sein
sie **sind**	verliebt	sie **sind**	verliebt **gewesen**	sie **werden**	verliebt sein

Präteritum		Plusquamperfekt		Futur II	
ich **war**	verliebt	ich **war**	verliebt **gewesen**	ich **werde**	verliebt **gewesen sein**
du **warst**	verliebt	du **warst**	verliebt **gewesen**	du **wirst**	verliebt **gewesen sein**
er **war**	verliebt	er **war**	verliebt **gewesen**	er **wird**	verliebt **gewesen sein**
wir **waren**	verliebt	wir **waren**	verliebt **gewesen**	wir **werden**	verliebt **gewesen sein**
ihr **wart**	verliebt	ihr **wart**	verliebt **gewesen**	ihr **werdet**	verliebt **gewesen sein**
sie **waren**	verliebt	sie **waren**	verliebt **gewesen**	sie **werden**	verliebt **gewesen sein**

Konjunktiv

Präsens		Perfekt		Futur I	
ich **sei**	verliebt	ich **sei**	verliebt **gewesen**	ich **werde**	verliebt sein
du **sei(e)st**	verliebt	du **sei(e)st**	verliebt **gewesen**	du **werdest**	verliebt sein
er **sei**	verliebt	er **sei**	verliebt **gewesen**	er **werde**	verliebt sein
wir **seien**	verliebt	wir **seien**	verliebt **gewesen**	wir **werden**	verliebt sein
ihr **sei(e)t**	verliebt	ihr **sei(e)t**	verliebt **gewesen**	ihr **werdet**	verliebt sein
sie **seien**	verliebt	sie **seien**	verliebt **gewesen**	sie **seien**	verliebt sein

Präteritum		Plusquamperfekt		Futur II	
ich **wäre**	verliebt	ich **wäre**	verliebt **gewesen**	ich **werde**	verliebt **gewesen sein**
du **wär(e)st**	verliebt	du **wär(e)st**	verliebt **gewesen**	du **werdest**	verliebt **gewesen sein**
er **wäre**	verliebt	er **wäre**	verliebt **gewesen**	er **werde**	verliebt **gewesen sein**
wir **wären**	verliebt	wir **wären**	verliebt **gewesen**	wir **werde**	verliebt **gewesen sein**
ihr **wär(e)t**	verliebt	ihr **wär(e)t**	verliebt **gewesen**	ihr **werdet**	verliebt **gewesen sein**
sie **wären**	verliebt	sie **wären**	verliebt **gewesen**	sie **werden**	verliebt **gewesen sein**

Infinitiv

Präsens

verliebt **sein**

Perfekt

verliebt **gewesen sein**

Partizip

Partizip I

verliebt **seiend**

Partizip II

verliebt **gewesen**

Imperativ

sei	(du)	verliebt
seien	wir	verliebt
seid	(ihr)	verliebt
seien	Sie	verliebt

Beispiele und Wendungen

Das Bild war zwei Tage zuvor verkauft worden.
Nach vierzig Jahren Ehe ist er immer noch in seine Frau verliebt.

in jmdn. verliebt sein	*jmdn. lieben*
verboten sein	*etwas darf nicht getan werden*
verletzt sein	*jmd. hat eine Verletzung*
gelogen sein	*unwahr sein*
Die Tür ist geschlossen.	*Die Tür ist zu.*
Die Aufgabe ist erledigt.	*Die Aufgabe wurde zu Ende gemacht.*
Das Problem ist gelöst.	*Jemand hat eine Lösung gefunden.*
Der Koffer ist gepackt.	*Die Sachen sind im Koffer.*
Der Brief ist adressiert.	*Die Adresse steht auf dem Brief.*
Er ist verheiratet.	*Er hat eine Ehefrau.*

Besonderheiten

Das Zustandspassiv wird immer mit einer Form von **sein** und dem **Partizip II** gebildet.
Beim Zustandspassiv beschreibt das (statische) Ergebnis einer Handlung, nicht die
Handlung selbst.

z. B. Das Haus <u>wird</u> gebaut.   → Die Aktion des Bauens ist wichtig.
    (Vorgangspassiv)   → Das Haus ist noch nicht fertig.

    Das Haus <u>ist</u> gebaut.   → Das Ergebnis des Bauens ist wichtig.
    (Zustandspassiv)   → Das Haus ist fertig.

Da es im Zustandspassiv auf das Ergebnis einer Handlung ankommt, nicht aber auf die
Handlung selbst, gibt es fast nie eine handelnde Person. Stattdessen werden häufig andere
Informationen (wo? woraus? worauf?) gegeben.

z. B. Das Haus ist ~~von Otto~~ gebaut.
    Das Haus ist *aus Holz und Stein* gebaut.
    Das Haus ist *im modernen Stil* gebaut.

Eigene Notizen:

Orthographisch-lautliche Besonderheiten

Bei der Konjugation der verschiedenen Verbgruppen treten immer wieder bestimmte orthographisch-lautliche Besonderheiten auf.

11 **e-Einschub bei Verben auf -den und -ten**

Regelmäßige Verben

reden

Indikativ Präsens	Indikativ Präteritum
ich rede	ich redete
du redest	du redetest
er redet	er redete
wir reden	wir redeten
ihr redet	ihr redetet
sie reden	sie redeten

Partizip II: geredet

arbeiten

Indikativ Präsens	Indikativ Präteritum
ich arbeite	ich arbeitete
du arbeitest	du arbeitetest
er arbeitet	er arbeitete
wir arbeiten	wir arbeiteten
ihr arbeitet	ihr arbeitet
sie arbeiten	sie arbeiteten

Partizip II: gearbeitet

Unregelmäßige Verben
reiten (ohne Vokaländerung im Präsens)

Indikativ Präsens	Indikativ Präteritum
ich reite	ich ritt
du reitest	du rittst
er reitet	er ritt
wir reiten	wir ritten
ihr reitet	ihr rittet
sie reiten	sie ritten

Partizip II: geritten

laden (mit Vokaländerung im Präsens)

Indikativ Präsens	Indikativ Präteritum
ich lade	ich lud
du lädst	du ludst
er lädt	er lud
wir laden	wir luden
ihr ladet	ihr ludet
sie laden	sie luden

Partizip II: geladen

12 **e-Einschub bei Verben auf -men und -nen,**
deren Stamm auf einen Konsonanten (außer **l, r, m, n**) + **m** oder **n** endet

rechnen

Indikativ Präsens	Indikativ Präteritum
ich rechne	ich rechnete
du rechnest	du rechnetest
er rechnet	er rechnete
wir rechnen	wir rechneten
ihr rechnet	ihr rechnetet
sie rechnen	sie rechneten

Partizip II: gerechnet

atmen

Indikativ Präsens	Indikativ Präteritum
ich atme	ich atmete
du atmest	du atmetest
er atmet	er atmete
wir atmen	wir atmeten
ihr atmet	ihr atmetet
sie atmen	sie atmeten

Partizip II: geatmet

13 e-Einschub bei unregelmäßigen Verben auf *-sen, -ssen, -zen* und *-ßen*

Indikativ Präteritum

preisen	lassen	schmelzen	fließen
ich pries	ich ließ	ich schmolz	ich floss
du priesest	du ließest	du schmolzest	du flossest
er pries	er ließ	er schmolz	er floss
wir priesen	wir ließen	wir schmolzen	wir flossen
ihr pries(e)t*	ihr ließ(e)t*	ihr schmolz(e)t*	ihr floss(e)t*
sie priesen	sie ließen	sie schmolzen	sie flossen

14 s-Ausfall bei Verben auf *-sen, -xen, -zen, -ssen* und *-ßen*

Indikativ Präsens

reisen	faxen	geizen	küssen	grüßen
ich reise	ich faxe	ich geize	ich küsse	ich grüße
du reist	du faxt	du geizt	du küsst	du grüßt
er reist	er faxt	er geizt	er küsst	er grüßt
wir reisen	wir faxen	wir geizen	wir küssen	wir grüßen
ihr reist	ihr faxt	ihr geizt	ihr küsst	ihr grüßt
sie reisen	sie faxen	sie geizen	sie küssen	sie grüßen

15 e-Ausfall bei Verben auf *-eln* und *-ern*

klingeln   erinnern**

Indikativ Präsens	Konjunktiv I	Indikativ Präsens	Konjunktiv I
ich klingle	ich klingle	ich erinn(e)re	ich erinnere
du klingelst	du klinglest	du erinnerst	du erinnerest
er klingelt	er klingle	er erinnert	er erinnere
wir klingeln	wir klinglen	wir erinnern	wir erinneren
ihr klingelt	ihr klinglet	ihr erinnert	ihr erinneret
sie klingeln	sie klinglen	sie erinnern	sie erinneren

Imperativ: klingle   **Imperativ:** erinn(e)re

* **e**-Einschub nur in gehobener Sprache
** Der **e**-Ausfall bei Verben auf -ern ist umgangssprachlich.

16 **Konsonantendopplung bei unregelmäßigen Verben auf -ten, -fen und -ßen,** deren Stammvokal sich von einem langen zu einem kurzen Vokal ändert

Infinitiv		Indikativ Präteritum	Partizip II
reiten	ei → i	ritt	geritten
greifen	ei → i	griff	gegriffen
beißen	ei → i	biss	gebissen

17 **Ausfall des Doppelkonsonanten bei unregelmäßigen Verben auf -tten, -ffen, -mmen, -llen und -ssen,** deren Stammvokal sich von einem kurzen zu einem langen Vokal ändert

Infinitiv		Indikativ Präteritum		Partizip II
treffen	e → a	traf	a → o	getroffen
kommen	o → a	kam	a → o	gekommen
fallen	a → ie	fiel	ie → a	gefallen
bitten	i → a	bat	a → e	gebeten
messen	e → a	maß	a → e	gemessen

Formale Besonderheiten

18 **Verben auf -ieren**
bilden das Partizip II ohne Präfix **ge-** und mit **-t** am Ende. In allen anderen Formen richten sie sich nach der regelmäßigen Konjugation (→ Nr. 4)

probieren
Indikativ Perfekt

ich habe probiert	wir haben probiert
du hast probiert	ihr habt probiert
er hat probiert	sie haben probiert

Beispiele und Wendungen

Du **redest** oft mit Franziska.
Klaus **lädt** seine Freunde zur Party **ein**.
Ihr **reitet** auf euren Pferden durch den Wald.

über etwas **reden**	*etwas diskutieren*
Du hast gut **reden**!	*Du hast es besser!*
als Lehrer **arbeiten**	*von Beruf Lehrer sein*
an sich **arbeiten**	*versuchen, sich zu verbessern*
auf einem Esel **reiten**	*sich auf einem Esel tragen lassen*
eine Batterie **laden**	*eine Batterie mit Strom „füllen"*
Grüß dich!	*Hallo!*
Kisten in ein Auto **laden**	*Kisten in ein Auto stellen*
eine Datei **laden**	*eine Datei auf den Computer bringen*
jmdn. **einladen**	*jmdn. zu sich bitten*
jmdn. zu seinen Freunden **rechnen**	*jmdn. als Freund sehen*
mit etwas **rechnen**	*etwas erwarten*
Der Patient **atmet** normal.	*Der Patient holt gleichmäßig Luft.*
etwas sein **lassen**	*etwas nicht tun*
Lass das!	*Höre auf damit!*
Der Verkehr **fließt**.	*Kein Stau, die Autos bewegen sich.*
Er **reist** gerne.	*Er fährt gerne weg.*
ein Dokument **faxen**	*ein Dokument per Faxgerät senden*
mit etwas **geizen**	*mit etwas übertrieben sparsam sein*
von jmdm. **grüßen**	*Grüße von jmdm. weitergeben*
bei jmdm. **klingeln**	*zu jmdn. gehen und an der Tür läuten*
jmdn. an etwas **erinnern**	*dafür sorgen, dass jmd. etwas nicht vergisst*
die Suppe **probieren**	*von der Suppe kosten*
probieren, etwas zu tun	*sich bemühen, etwas zu tun*

Eigene Notizen:

19 **beginnen** Stammvokalwechsel **i – a – o**

beginnen – begann – begonnen

Indikativ

Präsens	Perfekt	Futur I
ich beginne	ich habe begonnen	ich werde beginnen
du beginnst	du hast begonnen	du wirst beginnen
er beginnt	er hat begonnen	er wird beginnen
wir beginnen	wir haben begonnen	wir werden beginnen
ihr beginnt	ihr habt begonnen	ihr werdet beginnen
sie beginnen	sie haben begonnen	sie werden beginnen

Präteritum	Plusquamperfekt	Futur II
ich begann	ich hatte begonnen	ich werde begonnen haben
du begannst	du hattest begonnen	du wirst begonnen haben
er begann	er hatte begonnen	er wird begonnen haben
wir begannen	wir hatten begonnen	wir werden begonnen haben
ihr begannt	ihr hattet begonnen	ihr werdet begonnen haben
sie begannen	sie hatten begonnen	sie werden begonnen haben

Konjunktiv

Präsens	Perfekt	Futur I
ich beginne	ich habe begonnen	ich werde beginnen
du beginnest	du habest begonnen	du werdest beginnen
er beginne	er habe begonnen	er werde beginnen
wir beginnen	wir haben begonnen	wir werden beginnen
ihr beginnet	ihr habet begonnen	ihr werdet beginnen
sie beginnen	sie haben begonnen	sie werden beginnen

Präteritum	Plusquamperfekt	Futur II
ich begänne / begönne*	ich hätte begonnen	ich werde begonnen haben
du begännest / begönnest*	du hättest begonnen	du werdest begonnen haben
er begänne / begönne*	er hätte begonnen	er werde begonnen haben
wir begännen / begönnen*	wir hätten begonnen	wir werden begonnen haben
ihr begännet / begönnet*	ihr hättet begonnen	ihr werdet begonnen haben
sie begännen / begönnen*	sie hätten begonnen	sie werden begonnen haben

---

Infinitiv	Partizip	Imperativ
Präsens	**Partizip I**	beginn(e) (du)
beginnen	beginnend	beginnen wir
Perfekt	**Partizip II**	beginnt (ihr)
begonnen haben	begonnen	beginnen Sie

* selten

Beispiele und Wendungen

Der Deutschkurs beginnt um neun Uhr.
Er begann einen Streit mit seinen Nachbarn.
Die Opernsängerin hatte soeben begonnen, ein Lied zu singen.

etwas beginnt	*etwas startet / fängt an*
ein Gespräch beginnen	*anfangen, mit jmdm. zu sprechen*
jmd. beginnt zu schreiben	*jmd. fängt an zu schreiben*
Lasst uns damit beginnen!	*Lasst uns damit anfangen!*

Weitere Verben

gewinnen – sinnen – spinnen

ein Spiel gewinnen	*bei einem Spiel besser sein und siegen*
einen Kampf gewinnen	*den Gegner besiegen*
Einfluss gewinnen	*für etwas wichtiger werden*
an Bedeutung gewinnen	*wichtiger werden*
Benzin gewinnt man aus Erdöl.	*Benzin wird aus Erdöl hergestellt.*
auf Rache sinnen	*über Rache nachdenken*
Wolle spinnen	*Fäden aus Wolle herstellen*
jmd. spinnt	*jmd. ist seltsam / erzählt Unsinn*
Spinnst du?	*Bist du verrückt?*

Besonderheiten

Verben, die im Infinitiv die Präfixe **ge-** oder **be-** haben (z. B. *gewinnen*), bilden das Partizip II ohne ein zusätzliches **ge-**.

z. B. ich beginne	→	ich habe be~~ge~~gonnen
du gewinnst	→	du hast ge~~ge~~wonnen

Eigene Notizen:

20 **beißen**

beißen – biss – gebissen

Stammvokalwechsel **ei – i – i**
s-Ausfall (siehe S. 45) / Konsonantendopplung
(siehe S. 46) / **e**-Einschub (siehe S. 44)

Indikativ

Präsens	Perfekt	Futur I
ich beiße	ich habe gebissen	ich werde beißen
du beißt	du hast gebissen	du wirst beißen
er beißt	er hat gebissen	er wird beißen
wir beißen	wir haben gebissen	wir werden beißen
ihr beißt	ihr habt gebissen	ihr werdet beiße n
sie beißen	sie haben gebissen	sie werden beißen

Präteritum	Plusquamperfekt	Futur II
ich biss	ich hatte gebissen	ich werde gebissen haben
du bissest	du hattest gebissen	du wirst gebissen haben
er biss	er hatte gebissen	er wird gebissen haben
wir bissen	wir hatten gebissen	wir werden gebissen haben
ihr biss(e)t	ihr hattet gebissen	ihr werdet gebissen haben
sie bissen	sie hatten gebissen	sie werden gebissen haben

Konjunktiv

Präsens	Perfekt	Futur I
ich beiße	ich habe gebissen	ich werde beißen
du beißest	du habest gebissen	du werdest beißen
er beiße	er habe gebissen	er werde beißen
wir beißen	wir haben gebissen	wir werden beißen
ihr beißet	ihr habet gebissen	ihr werdet beißen
sie beißen	sie haben gebissen	sie werden beißen

Präteritum	Plusquamperfekt	Futur II
ich bisse	ich hätte gebissen	ich werde gebissen haben
du bissest	du hättest gebissen	du werdest gebissen haben
er bisse	er hätte gebissen	er werde gebissen haben
wir bissen	wir hätten gebissen	wir werden gebissen haben
ihr bisset	ihr hättet gebissen	ihr werdet gebissen haben
sie bissen	sie hätten gebissen	sie werden gebissen haben

Infinitiv

Präsens

beißen

Perfekt

gebissen haben

Partizip

Partizip I

beißend

Partizip II

gebissen

Imperativ

beiß(e) (du)
beißen wir
beißt (ihr)
beißen Sie

Beispiele und Wendungen

Keine Angst, der Hund beißt nicht.
Emmas Hund hat gestern den Briefträger gebissen.

jmdn. beißen	*jmdn. mit den Zähnen verletzen*
in ein Brot beißen	*beginnen, ein Brot zu essen*
Rauch beißt in den Augen	*Rauch verursacht ein brennendes Gefühl in den Augen*

Weitere Verben

mit•reißen – reißen – schmeißen – weg•schmeißen – zerreißen

Diese Musik reißt mit.	*Diese Musik begeistert die Leute.*
etwas reißt leicht	*etwas geht leicht kaputt*
jmd. reißt etwas an sich	*jmd. nimmt sich etwas mit Gewalt*
hin- und hergerissen sein	*sich nicht entscheiden können*
die Schule schmeißen	*die Schule aufgeben*
mit Geld um sich schmeißen	*viel Geld ohne Überlegen ausgeben*
Das kann man wegschmeißen.	*Das kann man wegwerfen.*
etwas zerreißen	*etwas durch Ziehen in Stücke teilen*

Besonderheiten

Hier kommt es zum Wechsel zwischen **ß** und **ss**. Der Grund dafür ist, dass **ß** nach langen Vokalen und doppelten Vokalen (z. B. **ei**) steht, **ss** dagegen nach kurzen Vokalen (hier: **i**). Wenn Sie unsicher sind, merken Sie sich einfach, dass Sie immer genau **3** Zeichen schreiben: → **e-i-ß / i-s-s**.

Tipp

reißen kann man leicht mit dem regelmäßigen Verb (→ Nr. 4) **reisen** verwechseln. Das **ß** in *reißen* klingt stimmlos (wie in *Fluss*), das **s** in *reisen* ist dagegen stimmhaft (wie in *sie*).

Eigene Notizen:

bieten – bot – geboten

Indikativ

Präsens

ich biete
du bietest
er bietet
wir bieten
ihr bietet
sie bieten

Perfekt

ich habe geboten
du hast geboten
er hat geboten
wir haben geboten
ihr habt geboten
sie haben geboten

Futur I

ich werde bieten
du wirst bieten
er wird bieten
wir werden bieten
ihr werdet bieten
sie werden bieten

Präteritum

ich bot
du bot(e)st
er bot
wir boten
ihr botet
sie boten

Plusquamperfekt

ich hatte geboten
du hattest geboten
er hatte geboten
wir hatten geboten
ihr hattet geboten
sie hatten geboten

Futur II

ich werde geboten haben
du wirst geboten haben
er wird geboten haben
wir werden geboten haben
ihr werdet geboten haben
sie werden geboten haben

Konjunktiv

Präsens

ich biete
du bietest
er biete
wir bieten
ihr bietet
sie bieten

Perfekt

ich habe geboten
du habest geboten
er habe geboten
wir haben geboten
ihr habet geboten
sie haben geboten

Futur I

ich werde bieten
du werdest bieten
er werde bieten
wir werden bieten
ihr werdet bieten
sie werden bieten

Präteritum

ich böte
du bötest
er böte
wir böten
ihr bötet
sie böten

Plusquamperfekt

ich hätte geboten
du hättest geboten
er hätte geboten
wir hätten geboten
ihr hättet geboten
sie hätten geboten

Futur II

ich werde geboten haben
du werdest geboten haben
er werde geboten haben
wir werden geboten haben
ihr werdet geboten haben
sie werden geboten haben

Infinitiv

Präsens

bieten

Perfekt

geboten haben

Partizip

Partizip I

bietend

Partizip II

geboten

Imperativ

biet(e) (du)
bieten wir
bietet (ihr)
bieten Sie

Beispiele und Wendungen

Ich biete 500 Euro für dieses Gemälde.
Unser Hotel bietet hervorragenden Service und eine angenehme Atmosphäre.

etwas bieten	etwas *anbieten, zur Verfügung stellen*
50 Euro bieten	*zahlen wollen (bei einer Auktion)*
wenn sich die Gelegenheit bietet	*wenn es möglich ist*
Das lasse ich mir nicht bieten.	*Das akzeptiere ich nicht.*

Weitere Verben

an•bieten – dar•bieten – gebieten – überbieten – verbieten

Was kann ich dir anbieten?	*Was kann ich dir geben?*
ein Schauspiel darbieten	*ein Theaterstück spielen*
Hier ist Vorsicht geboten.	*Hier muss man vorsichtig sein.*
Sie hat mich hier überboten.	*Sie hat hier mehr Geld geboten als ich.*
jmdm. etwas verbieten	*jmdm. etwas nicht erlauben*
Rauchen verboten.	*Hier darf man nicht rauchen.*

Tipp

Die Verben **bieten** und **bitten** kann man leicht verwechseln.
Achten Sie auf die Schreibung und die Aussprache: **ie** spricht man immer lang, vor doppelten Konsonanten (z. B. **tt**, **nn**, **ll**) spricht man **i** immer kurz.
Dieser Unterschied ist nicht nur für die Aussprache wichtig, denn die Wörter mit langem **ie** und kurzem **i** werden auch unterschiedlich konjugiert.

z. B. Ich <u>biete</u> 50 Euro. – Ich <u>bot</u> 50 Euro. – Ich habe 50 Euro <u>geboten</u>.
        Ich <u>bitte</u> dich. – Ich <u>bat</u> dich. – Ich habe dich <u>gebeten</u>.

Eigene Notizen:

22 **bitten**

bitten – bat – gebeten

Stammvokalwechsel **i – a – e**
e-Einschub (siehe S. 44) / Ausfall des Doppelkonsonanten (siehe S. 46)

Indikativ

Präsens	Perfekt		Futur I	
ich bitte	ich habe	gebeten	ich werde	bitten
du bittest	du hast	gebeten	du wirst	bitten
er bittet	er hat	gebeten	er wird	bitten
wir bitten	wir haben	gebeten	wir werden	bitten
ihr bittet	ihr habt	gebeten	ihr werdet	bitten
sie bitten	sie haben	gebeten	sie werden	bitten

Präteritum	Plusquamperfekt		Futur II	
ich bat	ich hatte	gebeten	ich werde	gebeten haben
du bat(e)st	du hattest	gebeten	du wirst	gebeten haben
er bat	er hatte	gebeten	er wird	gebeten haben
wir baten	wir hatten	gebeten	wir werden	gebeten haben
ihr batet	ihr hattet	gebeten	ihr werdet	gebeten haben
sie baten	sie hatten	gebeten	sie werden	gebeten haben

Konjunktiv

Präsens	Perfekt		Futur I	
ich bitte	ich habe	gebeten	ich werde	bitten
du bittest	du habest	gebeten	du werdest	bitten
er bitte	er habe	gebeten	er werde	bitten
wir bitten	wir haben	gebeten	wir werden	bitten
ihr bittet	ihr habet	gebeten	ihr werdet	bitten
sie bitten	sie haben	gebeten	sie werden	bitten

Präteritum	Plusquamperfekt		Futur II	
ich bäte	ich hätte	gebeten	ich werde	gebeten haben
du bätest	du hättest	gebeten	du werdest	gebeten haben
er bäte	er hätte	gebeten	er werde	gebeten haben
wir bäten	wir hätten	gebeten	wir werden	gebeten haben
ihr bätet	ihr hättet	gebeten	ihr werdet	gebeten haben
sie bäten	sie hätten	gebeten	sie werden	gebeten haben

Infinitiv	Partizip	Imperativ
Präsens	**Partizip I**	bitte (du)
bitten	bittend	bitten wir
		bittet (ihr)
Perfekt	**Partizip II**	bitten Sie
gebeten haben	gebeten	

Beispiele und Wendungen

Ich bitte um Aufmerksamkeit.
In ihrem Brief hat sie um Hilfe gebeten.

um etwas bitten	*von anderen etwas höflich verlangen*
um Ruhe bitten	*sagen, dass man sich Ruhe wünscht*
um Entschuldigung bitten	*sagen, dass einem etwas Leid tut*
um Hilfe bitten	*ausdrücken, dass man Hilfe möchte*
zum Tanz bitten	*zum Tanz auffordern*
zum Essen bitten	*zum Essen einladen*
Der Chef hat ihn in sein Büro gebeten.	*Er wurde ins Büro des Chefs gerufen.*

Besonderheiten

Im Präteritum wechselt der Vokal im Verbstamm zu einem langen **a:**. Da nach langen Vokalen niemals Doppelkonsonanten stehen, entfällt in dieser Zeitstufe das zweite **t**.

z. B. ich bitte   (kurzes **i** – Doppel-**t**)
      ich bat   (langes **a:** – nur ein **t**)

Tipp

bitten kann man leicht mit **bieten** verwechseln (siehe → bieten, Nr. 21).

Beachten Sie den Unterschied zwischen **ich bitte** und **bitte**: Das Wort *bitte* kommt ursprünglich von dem Verb **bitten**. Es wird aber – im Gegensatz zum Verb – nicht mehr konjugiert, sondern bleibt immer unverändert.

z. B. Ich <u>bitte</u> Sie, hier nicht zu rauchen.   → Verb, wird verändert
      <u>Bitte</u> rauchen Sie hier nicht!   → Interjektion, unveränderlich

Die Interjektion *bitte* kommt in Imperativsätzen vor und dient vor allem dazu, eine Aufforderung höflicher zu machen.

Eigene Notizen:

23 **blasen**

blasen – blies – geblasen

Stammvokalwechsel **a – ie – a**
Vokalwechsel im Präsens (siehe S. 13) / **s**-Ausfall
(siehe S. 45) / **e**-Einschub (siehe S. 44)

Indikativ

Präsens	Perfekt	Futur I
ich blase	ich habe geblasen	ich werde blasen
du bläst	du hast geblasen	du wirst blasen
er bläst	er hat geblasen	er wird blasen
wir blasen	wir haben geblasen	wir werden blasen
ihr blast	ihr habt geblasen	ihr werdet blasen
sie blasen	sie haben geblasen	sie werden blasen

Präteritum	Plusquamperfekt	Futur II
ich blies	ich hatte geblasen	ich werde geblasen haben
du bliesest	du hattest geblasen	du wirst geblasen haben
er blies	er hatte geblasen	er wird geblasen haben
wir bliesen	wir hatten geblasen	wir werden geblasen haben
ihr blies(e)t	ihr hattet geblasen	ihr werdet geblasen haben
sie bliesen	sie hatten geblasen	sie werden geblasen haben

Konjunktiv

Präsens	Perfekt	Futur I
ich blase	ich habe geblasen	ich werde blasen
du blasest	du habest geblasen	du werdest blasen
er blase	er habe geblasen	er werde blasen
wir blasen	wir haben geblasen	wir werden blasen
ihr blaset	ihr habet geblasen	ihr werdet blasen
sie blasen	sie haben geblasen	sie werden blasen

Präteritum	Plusquamperfekt	Futur II
ich bliese	ich hätte geblasen	ich werde geblasen haben
du bliesest	du hättest geblasen	du werdest geblasen haben
er bliese	er hätte geblasen	er werde geblasen haben
wir bliesen	wir hätten geblasen	wir werden geblasen haben
ihr blieset	ihr hättet geblasen	ihr werdet geblasen haben
sie bliesen	sie hätten geblasen	sie werden geblasen haben

Infinitiv	Partizip	Imperativ
Präsens	**Partizip I**	blas(e) (du)
blasen	blasend	blasen wir
		blast (ihr)
Perfekt	**Partizip II**	blasen Sie
geblasen haben	geblasen	

Beispiele und Wendungen

Der Wind bläst durch die Straßen.
Er zog an seiner Zigarette und blies dann den Rauch in die Luft.

die Trompete blasen	*auf der Trompete spielen*
in etwas hinein blasen	*(Atem-)Luft in etwas hinein pressen*
Draußen bläst es ziemlich stark.	*Draußen ist es ziemlich windig.*
Der Wind bläst stark aus Westen.	*Der Wind kommt stark aus Westen.*

Weitere Verben

ab•blasen – auf•blasen – aus•blasen – um•blasen – weg•blasen

einen Termin abblasen	*einen Termin absagen*
Die Hochzeit wurde abgeblasen.	*Die Hochzeit findet nicht statt.*
einen Luftballon aufblasen	*einen Luftballon mit Luft füllen*
ein Schlauchboot aufblasen	*ein Schlauchboot mit Luft füllen*
Er bläst sich immer so auf.	*Er macht sich immer so wichtig.*
eine Kerze ausblasen	*eine Kerze mit Atemluft löschen*
Der Sturm hat den Baum umgeblasen.	*Der Sturm hat den Baum umgeworfen.*
Der Wind hat die Blätter weggeblasen.	*Der Wind hat die Blätter fortgetragen.*
wie weggeblasen sein	*spurlos verschwunden sein*

Tipp

Dies ist ein Verb, das mit verschiedenen Präfixen unterschiedliche Bedeutungen hat. Die Präfixe sind alle trennbar. Lernen Sie deswegen am Besten neben dem Infinitiv immer auch einen kurzen Satz, bei dem das Präfix am Ende steht.

z. B.	ausblasen	– Er bläst die Kerze <u>aus</u>.
	abblasen	– Sie blasen die Party <u>ab</u>.

Eigene Notizen:

bleiben – blieb – geblieben

Indikativ

Präsens	Perfekt		Futur I	
ich bleibe	ich bin	geblieben	ich werde	bleiben
du bleibst	du bist	geblieben	du wirst	bleiben
er bleibt	er ist	geblieben	er wird	bleiben
wir bleiben	wir sind	geblieben	wir werden	bleiben
ihr bleibt	ihr seid	geblieben	ihr werdet	bleiben
sie bleiben	sie sind	geblieben	sie werden	bleiben

Präteritum	Plusquamperfekt		Futur II	
ich blieb	ich war	geblieben	ich werde	geblieben sein
du bliebst	du warst	geblieben	du wirst	geblieben sein
er blieb	er war	geblieben	er wird	geblieben sein
wir blieben	wir waren	geblieben	wir werden	geblieben sein
ihr bliebt	ihr wart	geblieben	ihr werdet	geblieben sein
sie blieben	sie waren	geblieben	sie werden	geblieben sein

Konjunktiv

Präsens	Perfekt		Futur I	
ich bleibe	ich sei	geblieben	ich werde	bleiben
du bleibest	du sei(e)st	geblieben	du werdest	bleiben
er bleibe	er sei	geblieben	er werde	bleiben
wir bleiben	wir seien	geblieben	wir werden	bleiben
ihr bleibet	ihr sei(e)t	geblieben	ihr werdet	bleiben
sie bleiben	sie seien	geblieben	sie werden	bleiben

Präteritum	Plusquamperfekt		Futur II	
ich bliebe	ich wäre	geblieben	ich werde	geblieben sein
du bliebest	du wär(e)st	geblieben	du werdest	geblieben sein
er bliebe	er wäre	geblieben	er werde	geblieben sein
wir blieben	wir wären	geblieben	wir werden	geblieben sein
ihr bliebet	ihr wär(e)t	geblieben	ihr werdet	geblieben sein
sie blieben	sie wären	geblieben	sie werden	geblieben sein

Infinitiv	Partizip	Imperativ
Präsens	**Partizip I**	bleib(e) (du)
bleiben	bleibend	bleiben wir
		bleibt (ihr)
Perfekt	**Partizip II**	bleiben Sie
geblieben sein	geblieben	

Beispiele und Wendungen

Ich bleibe hier.
Er bleibt bei seiner Entscheidung.
Das Wetter bleibt noch für drei Tage so, wie es ist.

Er bleibt heute zuhause.	*Er ist zuhause und geht nicht weg.*
Ich bleibe dabei.	*Ich ändere meine Meinung nicht.*
Es bleibt dabei!	*Die Entscheidung wird nicht geändert.*
Die Tür bleibt zu!	*Die Tür soll nicht geöffnet werden.*
Uns bleibt nichts, als zu akzeptieren.	*Wir haben keine andere Möglichkeit, als zu akzeptieren.*

Weitere Verben

(sich) entscheiden – scheinen – schreiben – schweigen – steigen

sich für etwas entscheiden	*etwas auswählen*
Das Café scheint gut zu sein.	*Das Café macht einen guten Eindruck.*
Die Sonne scheint.	*Die Sonne steht hell am Himmel.*
einen Brief schreiben	*ein Brief verfassen*
Geschichte schreiben	*Dinge tun, die große Bedeutung haben*
schweigen wie ein Grab	*absolut nichts zu etwas sagen*
die Temperatur steigt	*die Temperatur wird mehr oder höher*
das Wasser steigt	*der Wasserstand wächst an*
auf einen Berg steigen	*auf einen Berg hinauf gehen*

Tipp

Alle hier genannten Verben haben eine Vielzahl von Kombinationen mit verschiedenen Präfixen (z. B. einsteigen, aufschreiben, verschweigen ...). Notieren Sie sich hier alle, die sie finden, und schlagen Sie die Bedeutungen im Wörterbuch nach.

Eigene Notizen:

Indikativ

Präsens	Perfekt	Futur I
ich breche	ich habe gebrochen	ich werde brechen
du brichst	du hast gebrochen	du wirst brechen
er bricht	er hat gebrochen	er wird brechen
wir brechen	wir haben gebrochen	wir werden brechen
ihr brecht	ihr habt gebrochen	ihr werdet brechen
sie brechen	sie haben gebrochen	sie werden brechen

Präteritum	Plusquamperfekt	Futur II
ich brach	ich hatte gebrochen	ich werde gebrochen haben
du brachst	du hattest gebrochen	du wirst gebrochen haben
er brach	er hatte gebrochen	er wird gebrochen haben
wir brachen	wir hatten gebrochen	wir werden gebrochen haben
ihr bracht	ihr hattet gebrochen	ihr werdet gebrochen haben
sie brachen	sie hatten gebrochen	sie werden gebrochen haben

Konjunktiv

Präsens	Perfekt	Futur I
ich breche	ich habe gebrochen	ich werde brechen
du brechest	du habest gebrochen	du werdest brechen
er breche	er habe gebrochen	er werde brechen
wir brechen	wir haben gebrochen	wir werden brechen
ihr brechet	ihr habet gebrochen	ihr werdet brechen
sie brechen	sie haben gebrochen	sie werden brechen

Präteritum	Plusquamperfekt	Futur II
ich bräche	ich hätte gebrochen	ich werde gebrochen haben
du brächest	du hättest gebrochen	du werdest gebrochen haben
er bräche	er hätte gebrochen	er werde gebrochen haben
wir brächen	wir hätten gebrochen	wir werden gebrochen haben
ihr brächet	ihr hättet gebrochen	ihr werdet gebrochen haben
sie brächen	sie hätten gebrochen	sie werden gebrochen haben

Infinitiv	Partizip	Imperativ
Präsens	**Partizip I**	brich (du)
brechen	brechend	brechen wir
		brecht (ihr)
Perfekt	**Partizip II**	brechen Sie
gebrochen haben	gebrochen	

Beispiele und Wendungen

Er hat den Ast vom Baum gebrochen.
Sie hat sich letztes Jahr beim Skifahren das Bein gebrochen.

etwas bricht	*etwas hält nicht stand*
ein Versprechen brechen	*etwas Vereinbartes nicht tun*
einen Rekord brechen	*eine Höchstleistung überbieten*
das Eis brechen	*zwischen Unbekannten eine gute Atmosphäre schaffen*
jmdm. das Herz brechen	*jmdn. sehr traurig machen*

Weitere Verben

bergen – bersten – sprechen – stechen – verbergen

Die Verletzten wurden geborgen.	*Die Verletzten wurden in Sicherheit gebracht.*
etwas birst	*etwas platzt, bricht auseinander*
Deutsch sprechen	*Deutsch reden können*
Ich muss ihn dringend sprechen.	*Ich muss dringend mit ihm reden.*
Der Richter spricht ein Urteil.	*Der Richter verkündet eine Entscheidung.*
sich an etwas stechen	*sich an einem spitzen Gegenstand verletzen*
Die Biene hat ihn gestochen.	*Die Biene hat ihn mit dem Stachel verletzt.*
Es stach mir sofort ins Auge ...	*Es fiel mir sofort auf ...*
Ich habe nichts zu verbergen.	*Ich habe keine Geheimnisse.*

Eigene Notizen:

bringen – brachte – gebracht

Indikativ

Präsens	Perfekt	Futur I
ich bringe	ich habe gebracht	ich werde bringen
du bringst	du hast gebracht	du wirst bringen
er bringt	er hat gebracht	er wird bringen
wir bringen	wir haben gebracht	wir werden bringen
ihr bringt	ihr habt gebracht	ihr werdet bringen
sie bringen	sie haben gebracht	sie werden bringen

Präteritum	Plusquamperfekt	Futur II
ich brachte	ich hatte gebracht	ich werde gebracht haben
du brachtest	du hattest gebracht	du wirst gebracht haben
er brachte	er hatte gebracht	er wird gebracht haben
wir brachten	wir hatten gebracht	wir werden gebracht haben
ihr brachtet	ihr hattet gebracht	ihr werdet gebracht haben
sie brachten	sie hatten gebracht	sie werden gebracht haben

Konjunktiv

Präsens	Perfekt	Futur I
ich bringe	ich habe gebracht	ich werde bringen
du bringest	du habest gebracht	du werdest bringen
er bringe	er habe gebracht	er werde bringen
wir bringen	wir haben gebracht	wir werden bringen
ihr bringet	ihr habet gebracht	ihr werdet bringen
sie bringen	sie haben gebracht	sie werden bringen

Präteritum	Plusquamperfekt	Futur II
ich brächte	ich hätte gebracht	ich werde gebracht haben
du brächtest	du hättest gebracht	du werdest gebracht haben
er brächte	er hätte gebracht	er werde gebracht haben
wir brächten	wir hätten gebracht	wir werden gebracht haben
ihr brächtet	ihr hättet gebracht	ihr werdet gebracht haben
sie brächten	sie hätten gebracht	sie werden gebracht haben

Infinitiv	Partizip	Imperativ
Präsens	**Partizip I**	bring(e) (du)
bringen	bringend	bringen wir
		bringt (ihr)
Perfekt	**Partizip II**	bringen Sie
gebracht haben	gebracht	

Beispiele und Wendungen

Der Briefträger bringt die Post
Die Mutter brachte ihr Kind in den Kindergarten.
Nur regelmäßiges Üben und fleißiges Lernen bringen Erfolg.

jmdn. in Schwierigkeiten bringen	*bewirken, dass jmd. Probleme bekommt*
Das bringt nichts!	*Das wird keinen Erfolg haben!*
Was soll das bringen?	*Was soll das (Positives) bewirken?*
Das bringt nur Ärger.	*Das führt nur zu Ärger.*
Er hat es im Betrieb zu etwas gebracht.	*Er hat im Betrieb Karriere gemacht.*

Weitere Verben

ab•bringen – durch•bringen – mit•bringen – um•bringen – verbringen

jmdn. von etwas abbringen	*jmdn. überreden etwas nicht zu tun*
sein Geld durchbringen	*sein komplettes Geld sinnlos ausgeben*
jmdm. etwas mitbringen	*zu jmdm. gehen und ihm etwas geben*
jmdn. umbringen	*jmdn. töten*
sich umbringen	*sich selbst töten*
den Urlaub am Meer verbringen	*im Urlaub am Meer sein*

Besonderheiten

Verwechseln Sie **bringen** nicht mit *holen*! Das Verb *bringen* drückt aus, dass jemand etwas <u>zu</u> einem Ort oder einer Person transportiert, während **holen** ausdrückt, dass jemand etwas nimmt und herbringt.

z. B. Mein Hund <u>bringt</u> mir die Zeitung.	→ Mein Hund transportiert die Zeitung zu mir.
Mein Hund <u>holt</u> die Zeitung.	→ Mein Hund läuft nach draußen, nimmt die Zeitung und transportiert sie her.

Eigene Notizen:

Indikativ

Präsens	Perfekt	Futur I
ich denke	ich habe gedacht	ich werde denken
du denkst	du hast gedacht	du wirst denken
er denkt	er hat gedacht	er wird denken
wir denken	wir haben gedacht	wir werden denken
ihr denkt	ihr habt gedacht	ihr werdet denken
sie denken	sie haben gedacht	sie werden denken

Präteritum	Plusquamperfekt	Futur II
ich dachte	ich hatte gedacht	ich werde gedacht haben
du dachtest	du hattest gedacht	du wirst gedacht haben
er dachte	er hatte gedacht	er wird gedacht haben
wir dachten	wir hatten gedacht	wir werden gedacht haben
ihr dachtet	ihr hattet gedacht	ihr werdet gedacht haben
sie dachten	sie hatten gedacht	sie werden gedacht haben

Konjunktiv

Präsens	Perfekt	Futur I
ich denke	ich habe gedacht	ich werde denken
du denkest	du habest gedacht	du werdest denken
er denke	er habe gedacht	er werde denken
wir denken	wir haben gedacht	wir werden denken
ihr denket	ihr habet gedacht	ihr werdet denken
sie denken	sie haben gedacht	sie werden denken

Präteritum	Plusquamperfekt	Futur II
ich dächte	ich hätte gedacht	ich werde gedacht haben
du dächtest	du hättest gedacht	du werdest gedacht haben
er dächte	er hätte gedacht	er werde gedacht haben
wir dächten	wir hätten gedacht	wir werden gedacht haben
ihr dächtet	ihr hättet gedacht	ihr werdet gedacht haben
sie dächten	sie hätten gedacht	sie werden gedacht haben

Infinitiv	Partizip	Imperativ
Präsens	**Partizip I**	denk(e) (du)
denken	denkend	denken wir
		denkt (ihr)
Perfekt	**Partizip II**	denken Sie
gedacht haben	gedacht	

Beispiele und Wendungen

Ich denke, also bin ich.
Sie dachte, dass du zuhause wärst.
Früher dachten die Menschen, die Erde sei eine Scheibe.

an jmdn. denken	*sich an jmdn. erinnern*
Bitte, denk daran ...	*Bitte, vergiss nicht ...*
Ich denke daran mitzumachen.	*Ich plane mitzumachen.*
Er denkt immer nur an Fußball.	*Er interessiert sich nur für Fußball.*
Wie denkst du darüber?	*Wie ist deine Meinung dazu?*
Was hast du dir dabei gedacht?	*Was wolltest du damit erreichen?*
Wer hätte das gedacht!	*Das ist aber eine Überraschung!*
Das kann ich mir denken.	*Das kann ich mir vorstellen.*
Ich denke überhaupt nicht daran!	*Ich habe nicht die Absicht, dies zu tun!*

Weitere Verben

nach•denken – überdenken

über etwas nachdenken	*eine Sache überlegen*
eine Entscheidung überdenken	*noch einmal über etwas nachdenken*

Tipp

Trainieren Sie die Konjugation eines unregelmäßigen Verbs, indem Sie würfeln. Die Zahl, die Sie würfeln, bedeutet die entsprechende Person des Verbs, das Sie bilden. 1: ich, 2: du, 3: er, sie, es, 4: wir, 5: ihr, 6: sie. Zum Beispiel: 4: wir denken.
Sie können auch einen zweiten Würfel für die Zeiten benutzen. 1: Präsens, 2: Perfekt, 3: Futur I, 4: Präteritum, 5: Plusquamperfekt, 6: Futur II. Zum Beispiel: 2+3: Du wirst denken.

Eigene Notizen:

dürfen – durfte – gedurft

Indikativ

Präsens	Perfekt	Futur I
ich darf	ich habe gedurft	ich werde dürfen
du darfst	du hast gedurft	du wirst dürfen
er darf	er hat gedurft	er wird dürfen
wir dürfen	wir haben gedurft	wir werden dürfen
ihr dürft	ihr habt gedurft	ihr werdet dürfen
sie dürfen	sie haben gedurft	sie werden dürfen

Präteritum	Plusquamperfekt	Futur II
ich durfte	ich hatte gedurft	ich werde gedurft haben
du durftest	du hattest gedurft	du wirst gedurft haben
er durfte	er hatte gedurft	er wird gedurft haben
wir durften	wir hatten gedurft	wir werden gedurft haben
ihr durftet	ihr hattet gedurft	ihr werdet gedurft haben
sie durften	sie hatten gedurft	sie werden gedurft haben

Konjunktiv

Präsens	Perfekt	Futur I
ich dürfe	ich habe gedurft	ich werde dürfen
du dürfest	du habest gedurft	du werdest dürfen
er dürfe	er habe gedurft	er werde dürfen
wir dürfen	wir haben gedurft	wir werden dürfen
ihr dürfet	ihr habet gedurft	ihr werdet dürfen
sie dürfen	sie haben gedurft	sie werden dürfen

Präteritum	Plusquamperfekt	Futur II
ich dürfte	ich hätte gedurft	ich werde gedurft haben
du dürftest	du hättest gedurft	du werdest gedurft haben
er dürfte	er hätte gedurft	er werde gedurft haben
wir dürften	wir hätten gedurft	wir werden gedurft haben
ihr dürftet	ihr hättet gedurft	ihr werdet gedurft haben
sie dürften	sie hätten gedurft	sie werden gedurft haben

Infinitiv	Partizip	Imperativ
Präsens	**Partizip I**	—
dürfen	dürfend	—
		—
Perfekt	**Partizip II**	—
gedurft haben	gedurft	

Beispiele und Wendungen

Hier darf man rauchen.
Toni darf seinen Hochzeitstag nicht vergessen.
Tim und Moni durften am Samstag nicht ins Kino gehen.

Tom darf laut singen.	*Tom hat die Erlaubnis laut zu singen.*
Darf ich?	*Erlauben Sie (mir etwas)?*
Wolle darf man nicht heiß waschen.	*Man sollte Wolle nicht heiß waschen.*
Was darf es sein?	*Was wünschen Sie?*
Das dürfte alles sein.	*Ich nehme an, dass das alles war.*
Das darf nicht passieren.	*Dieser Fall soll nie eintreten.*
Das darf doch nicht wahr sein!	*Das ist unglaublich!*

Besonderheiten

dürfen ist ein Modalverb und drückt meistens die Erlaubnis oder auch das Recht aus, etwas zu tun. *dürfen* wird außerdem häufig verwendet, um eine höfliche Frage einzuleiten. Manchmal verwendet man hier auch den Konjunktiv II, da dieser noch höflicher wirkt.

z. B. Darf/Dürfte ich Sie etwas fragen?   (Präsens/Konjunktiv II)

Die Verneinung **nicht dürfen** bedeutet ein Verbot oder eine Warnung.
z. B. Hier darfst du nicht rauchen!

Steht im Satz neben **dürfen** ein zweites Verb, so wird in Perfekt und Plusquam-perfekt die Form *dürfen* statt Partizip II verwendet. Nur selten, wenn *dürfen* als selbstständiges Vollverb verwendet wird, benötigt man die Form *gedurft*.

z. B. Er hätte das nicht sagen <u>dürfen</u>.
       Er hat nicht ins Kino <u>gedurft</u>.

Mehr zu Modalverben finden Sie im Grammatikteil auf S. 22.

Eigene Notizen:

Indikativ

Präsens	Perfekt	Futur I
ich dresche	ich habe gedroschen	ich werde dreschen
du drischst	du hast gedroschen	du wirst dreschen
er drischt	er hat gedroschen	er wird dreschen
wir dreschen	wir haben gedroschen	wir werden dreschen
ihr drescht	ihr habt gedroschen	ihr werdet dreschen
sie dreschen	sie haben gedroschen	sie werden dreschen

Präteritum	Plusquamperfekt	Futur II
ich drosch / drasch*	ich hatte gedroschen	ich werde gedroschen haben
du droschst / drasch(e)st*	du hattest gedroschen	du wirst gedroschen haben
er drosch / drasch*	er hatte gedroschen	er wird gedroschen haben
wir droschen / draschen*	wir hatten gedroschen	wir werden gedroschen haben
ihr droscht / drascht*	ihr hattet gedroschen	ihr werdet gedroschen haben
sie droschen / draschen*	sie hatten gedroschen	sie werden gedroschen haben

Konjunktiv

Präsens	Perfekt	Futur I
ich dresche	ich habe gedroschen	ich werde dreschen
du dreschest	du habest gedroschen	du werdest dreschen
er dresche	er habe gedroschen	er werde dreschen
wir dreschen	wir haben gedroschen	wir werden dreschen
ihr dreschet	ihr habet gedroschen	ihr werdet dreschen
sie dreschen	sie haben gedroschen	sie werden dreschen

Präteritum	Plusquamperfekt	Futur II
ich drösche / dräsche*	ich hätte gedroschen	ich werde gedroschen haben
du dröschest / dräschest*	du hättest gedroschen	du werdest gedroschen haben
er drösche / dräsche*	er hätte gedroschen	er werde gedroschen haben
wir dröschen / dräschen*	wir hätten gedroschen	wir werden gedroschen haben
ihr dröschet / dräschet*	ihr hättet gedroschen	ihr werdet gedroschen haben
sie dröschen / dräschen*	sie hätten gedroschen	sie werden gedroschen haben

Infinitiv

Präsens

dreschen

Perfekt

gedroschen haben

Partizip

Partizip I

dreschend

Partizip II

gedroschen

Imperativ

drisch (du)
dreschen wir
drescht (ihr)
dreschen Sie

* veraltet

Beispiele und Wendungen

Der Bauer drischt das Korn.
Komm zum Punkt, oder willst du ewig Phrasen dreschen?

Getreide dreschen	*die Körner aus dem Getreide schlagen*
Phrasen dreschen	*leere Worte machen*

Weitere Verben

an•schwellen – aus•fechten – fechten – flechten – verdreschen

Der Ton schwillt an.	*Der Ton wird lauter.*
Der Fluss war angeschwollen.	*Das Wasser im Fluss war gestiegen.*
Das verletzte Bein ist angeschwollen.	*Das verletzte Bein ist dick geworden.*
etwas ausfechten	*sich streiten, um etwas zu klären*
mit Worten fechten	*miteinander hart diskutieren*
für etwas fechten	*sich für etwas einsetzen*
einen Korb flechten	*einen Korb herstellen*
einen Zopf flechten	*Haare zu einem Zopf formen*
jmdn. verdreschen	*jmdn. brutal schlagen*

Tipp

Auch Verbformen können wie Vokabeln mit Vokabelkärtchen gelernt werden. Schreiben Sie sich dazu je eine Verbform auf ein Kärtchen und den Infinitiv mit Beschreibung der Verbform Form auf die Rückseite, z. B. „flechten – 1. Person Plural, Präteritum" auf der Rückseite von „wir flochten". Sie müssen dabei nicht alle Verbformen verwenden – wählen Sie einfach die aus, die am häufigsten sind, und die, die Ihnen am schwersten fallen. Testen Sie nun Ihre Kenntnisse, indem Sie immer die Seite mit dem Infinitiv ansehen und die passende Form dazu bilden.

Eigene Notizen:

30 **erschrecken**

erschrecken – erschrak – erschrocken

Stammvokalwechsel **e – a – e**
Vokalwechsel im Präsens (siehe S. 13) / Wegfall
des Doppelkonsonanten (**ck → k**) (siehe S. 46)

Indikativ

Präsens	Perfekt		Futur I	
ich erschrecke	ich bin	erschrocken	ich werde	erschrecken
du erschrickst	du bist	erschrocken	du wirst	erschrecken
er erschrickt	er ist	erschrocken	er wird	erschrecken
wir erschrecken	wir sind	erschrocken	wir werden	erschrecken
ihr erschreckt	ihr seid	erschrocken	ihr werdet	erschrecken
sie erschrecken	sie sind	erschrocken	sie werden	erschrecken

Präteritum	Plusquamperfekt		Futur II	
ich erschrak	ich war	erschrocken	ich werde	erschrocken sein
du erschrakst	du warst	erschrocken	du wirst	erschrocken sein
er erschrak	er war	erschrocken	er wird	erschrocken sein
wir erschraken	wir waren	erschrocken	wir werden	erschrocken sein
ihr erschrakt	ihr wart	erschrocken	ihr werdet	erschrocken sein
sie erschraken	sie waren	erschrocken	sie werden	erschrocken sein

Konjunktiv

Präsens	Perfekt		Futur I	
ich erschrecke	ich sei	erschrocken	ich werde	erschrecken
du erschreckest	du sei(e)st	erschrocken	du werdest	erschrecken
er erschrecke	er sei	erschrocken	er werde	erschrecken
wir erschrecken	wir seien	erschrocken	wir werden	erschrecken
ihr erschrecket	ihr sei(e)t	erschrocken	ihr werdet	erschrecken
sie erschrecken	sie seien	erschrocken	sie werden	erschrecken

Präteritum	Plusquamperfekt		Futur II	
ich erschräke	ich wäre	erschrocken	ich werde	erschrocken sein
du erschräkest	du wär(e)st	erschrocken	du werdest	erschrocken sein
er erschräke	er wäre	erschrocken	er werde	erschrocken sein
wir erschräken	wir wären	erschrocken	wir werden	erschrocken sein
ihr erschräket	ihr wär(e)t	erschrocken	ihr werdet	erschrocken sein
sie erschräken	sie wären	erschrocken	sie werden	erschrocken sein

Infinitiv

Präsens

erschrecken

Perfekt

erschrocken sein

Partizip

Partizip I

erschreckend

Partizip II

erschrocken

Imperativ

erschrick (du)
erschrecken wir
erschreckt (ihr)
erschrecken Sie

Beispiele und Wendungen

Anna erschrak.
Sie erschrickt sehr leicht.
Als er die Spinne sah, erschrak er und schrie.

Erschrick nicht!	*Sei nicht überrascht!/Habe keine Angst!*
Ich bin sehr erschrocken.	*Ich habe große Angst bekommen.*

Besonderheiten

Wenn das Verb **erschrecken** bedeutet, dass man selbst Angst bekommt, wird es unregelmäßig konjugiert und bildet die zusammengesetzten Vergangenheiten mit dem Hilfsverb *sein*.

Daneben bedeutet **erschrecken** aber auch häufig, dass man jemandem Angst einjagt. Dann steht das Wort mit einem Akkusativ-Objekt (jemanden *erschrecken*). In diesem Fall wird das Verb regelmäßig konjugiert (→ Nr. 4) und bildet die zusammengesetzten Zeiten mit *haben*.

z. B. Ich versteckte mich hinterm Schrank und erschreckte meine Tante.
        Er hat mich erschreckt.

Es gibt auch die reflexive Form **sich erschrecken**, die meist regelmäßig konjugiert wird. Die zusammengesetzten Zeiten werden hier mit *haben* gebildet.
z. B. Als plötzlich die Vase vom Schrank fiel, erschreckte er sich sehr.

Tipp

Im Deutschen kann ein Doppelkonsonant nur nach einem kurzen Vokal stehen. Wenn bei **erschrecken** im Präteritum ein langes **a** das kurze **e** ersetzt, fällt durch diese Regel gleichzeitig der Doppelkonsonant weg: **ck** wird zu **k**.

Eigene Notizen:

31 **erwägen**

erwägen – erwog – erwogen

Indikativ

Präsens	Perfekt	Futur I
ich erwäge	ich habe erwogen	ich werde erwägen
du erwägst	du hast erwogen	du wirst erwägen
er erwägt	er hat erwogen	er wird erwägen
wir erwägen	wir haben erwogen	wir werden erwägen
ihr erwägt	ihr habt erwogen	ihr werdet erwägen
sie erwägen	sie haben erwogen	sie werden erwägen

Präteritum	Plusquamperfekt	Futur II
ich erwog	ich hatte erwogen	ich werde erwogen haben
du erwogst	du hattest erwogen	du wirst erwogen haben
er erwog	er hatte erwogen	er wird erwogen haben
wir erwogen	wir hatten erwogen	wir werden erwogen haben
ihr erwogt	ihr hattet erwogen	ihr werdet erwogen haben
sie erwogen	sie hatten erwogen	sie werden erwogen haben

Konjunktiv

Präsens	Perfekt	Futur I
ich erwäge	ich habe erwogen	ich werde erwägen
du erwägest	du habest erwogen	du werdest erwägen
er erwäge	er habe erwogen	er werde erwägen
wir erwägen	wir haben erwogen	wir werden erwägen
ihr erwäget	ihr habet erwogen	ihr werdet erwägen
sie erwägen	sie haben erwogen	sie werden erwägen

Präteritum	Plusquamperfekt	Futur II
ich erwöge	ich hätte erwogen	ich werde erwogen haben
du erwögest	du hättest erwogen	du werdest erwogen haben
er erwöge	er hätte erwogen	er werde erwogen haben
wir erwögen	wir hätten erwogen	wir werden erwogen haben
ihr erwöget	ihr hättet erwogen	ihr werdet erwogen haben
sie erwögen	sie hätten erwogen	sie werden erwogen haben

Infinitiv

Präsens

erwägen

Perfekt

erwogen haben

Partizip

Partizip I

erwägend

Partizip II

erwogen / erwägt

Imperativ

erwäg(e) (du)
erwägen wir
erwägt (ihr)
erwägen Sie

Beispiele und Wendungen

Sie erwägen, nächstes Jahr ein Haus zu kaufen.
Wir werden die Vor- und Nachteile dieses Angebots erwägen.

etwas erwägen	*etwas sorgfältig prüfen*
erwägen etwas zu tun	*überlegen etwas zu tun*

Besonderheiten

Kein anderes Verb wird genau so konjugiert wie **erwägen**. Das macht es auf den ersten Blick etwas schwierig zu merken. Bis auf die Formen des Indikativ Präsens und den Konjunktiv I ist die Konjugation aber mit den häufigeren Formen des Verbmusters *wiegen* (→ Nr. 88) identisch.
Lernen Sie dieses Verb am besten gleich zusammen mit den Verben aus Nr. 88.

Tipp

Denken Sie einfach! Manche Verbformen sind selten und deshalb schwierig. Und nicht immer haben Sie Ihre Verbtabellen zur Hand. Wenn Sie nicht wissen, wie man ein Wort benutzt, überlegen Sie, ob man das einfacher sagen kann.

z. B. **Ich erwäge**, nach Berlin zu fahren. → *Ich überlege*, ob ich nach Berlin fahren soll.
→ *Ich denke darüber nach*, nach Berlin zu fahren.

Schreiben Sie sich aber das Wort, bei dem sie unsicher waren, auf! Dann können Sie es zuhause nachschlagen und sind beim nächsten Mal bestens vorbereitet.

Erweitern Sie einfach Ihren Wortschatz! Von vielen Verben lassen sich Substantive auf **-ung** bilden, die man dann in Wendungen verwenden kann:

z. B. erwägen → in Erwägung ziehen

Eigene Notizen:

32 **fallen**

fallen – fiel – gefallen

Stammvokalwechsel **a – ie – a**
Vokalwechsel im Präsens (siehe S. 13) / Ausfall des
Doppelkonsonanten (siehe S. 46)

Indikativ

Präsens	Perfekt		Futur I	
ich falle	ich bin	gefallen	ich werde	fallen
du fällst	du bist	gefallen	du wirst	fallen
er fällt	er ist	gefallen	er wird	fallen
wir fallen	wir sind	gefallen	wir werden	fallen
ihr fallt	ihr seid	gefallen	ihr werdet	fallen
sie fallen	sie sind	gefallen	sie werden	fallen

Präteritum	Plusquamperfekt		Futur II	
ich fiel	ich war	gefallen	ich werde	gefallen sein
du fielst	du warst	gefallen	du wirst	gefallen sein
er fiel	er war	gefallen	er wird	gefallen sein
wir fielen	wir waren	gefallen	wir werden	gefallen sein
ihr fielt	ihr wart	gefallen	ihr werdet	gefallen sein
sie fielen	sie waren	gefallen	sie werden	gefallen sein

Konjunktiv

Präsens	Perfekt		Futur I	
ich falle	ich sei	gefallen	ich werde	fallen
du fallest	du sei(e)st	gefallen	du werdest	fallen
er falle	er sei	gefallen	er werde	fallen
wir fallen	wir seien	gefallen	wir werden	fallen
ihr fallet	ihr sei(e)t	gefallen	ihr werdet	fallen
sie fallen	sie seien	gefallen	sie werden	fallen

Präteritum	Plusquamperfekt		Futur II	
ich fiele	ich wäre	gefallen	ich werde	gefallen sein
du fielest	du wär(e)st	gefallen	du werdest	gefallen sein
er fiele	er wäre	gefallen	er werde	gefallen sein
wir fielen	wir wären	gefallen	wir werden	gefallen sein
ihr fielet	ihr wär(e)t	gefallen	ihr werdet	gefallen sein
sie fielen	sie wären	gefallen	sie werden	gefallen sein

Infinitiv

Präsens

fallen

Perfekt

gefallen sein

Partizip

Partizip I

fallend

Partizip II

gefallen

Imperativ

fall(e) (du)
fallen wir
fallt (ihr)
fallen Sie

Beispiele und Wendungen

Im Herbst fallen die Blätter.
Die Skifahrerin ist gefallen und hat sich dabei das Bein gebrochen.
Der 23. März fällt dieses Jahr auf einen Donnerstag.

Der Regen fällt.	*Es regnet.*
Die Temperatur fällt.	*Die Temperatur sinkt.*
Die Aktien sind gefallen.	*Die Aktien haben an Wert verloren.*
Plötzlich fiel ein Schuss.	*Plötzlich hörte man einen Schuss.*
Dabei ist dein Name gefallen.	*Dabei wurde dein Name genannt.*
Der Soldat ist im Krieg gefallen.	*Der Soldat kam im Krieg ums Leben.*

Weitere Verben

aus•fallen – durch•fallen – ein•fallen– gefallen – hin•fallen – überfallen

etwas fällt aus	*etwas findet nicht statt*
bei einer Prüfung durchfallen	*eine Prüfung nicht bestehen*
Mir fällt dazu nichts ein.	*Ich habe dazu keine Idee.*
etwas gefällt mir	*Ich finde etwas schön.*
jmdn. überfallen	*jmdn. bedrohen und berauben*

Besonderheiten

Die meisten Verben mit **fallen** bilden die zusammengesetzten Zeiten mit dem Hilfsverb **sein**.
z. B. Er ist hingefallen. / Sie ist durch die Prüfung gefallen.

Ein paar Verben auf **-fallen** bilden die zusammengesetzten Zeiten aber mit dem Hilfsverb **haben**:
z. B. Er hat die Bank überfallen. / Das Konzert hat mir gut gefallen.

Eigene Notizen:

33 **fangen**

fangen – fing – gefangen

Stammvokalwechsel **a – i – a**

Vokalwechsel im Präsens (siehe S. 13)

Indikativ

Präsens	Perfekt		Futur I	
ich fange	ich habe	gefangen	ich werde	fangen
du fängst	du hast	gefangen	du wirst	fangen
er fängt	er hat	gefangen	er wird	fangen
wir fangen	wir haben	gefangen	wir werden	fangen
ihr fangt	ihr habt	gefangen	ihr werdet	fangen
sie fangen	sie haben	gefangen	sie werden	fangen

Präteritum	Plusquamperfekt		Futur II	
ich fing	ich hatte	gefangen	ich werde	gefangen haben
du fingst	du hattest	gefangen	du wirst	gefangen haben
er fing	er hatte	gefangen	er wird	gefangen haben
wir fingen	wir hatten	gefangen	wir werden	gefangen haben
ihr fingt	ihr hattet	gefangen	ihr werdet	gefangen haben
sie fingen	sie hatten	gefangen	sie werden	gefangen haben

Konjunktiv

Präsens	Perfekt		Futur I	
ich fange	ich habe	gefangen	ich werde	fangen
du fangest	du habest	gefangen	du werdest	fangen
er fange	er habe	gefangen	er werde	fangen
wir fangen	wir haben	gefangen	wir werden	fangen
ihr fanget	ihr habet	gefangen	ihr werdet	fangen
sie fangen	sie haben	gefangen	sie werden	fangen

Präteritum	Plusquamperfekt		Futur II	
ich finge	ich hätte	gefangen	ich werde	gefangen haben
du fingest	du hättest	gefangen	du werdest	gefangen haben
er finge	er hätte	gefangen	er werde	gefangen haben
wir fingen	wir hätten	gefangen	wir werden	gefangen haben
ihr finget	ihr hättet	gefangen	ihr werdet	gefangen haben
sie fingen	sie hätten	gefangen	sie werden	gefangen haben

Infinitiv

Präsens

fangen

Perfekt

gefangen haben

Partizip

Partizip I

fangend

Partizip II

gefangen

Imperativ

fang(e) (du)
fangen wir
fangt (ihr)
fangen Sie

fangen

Beispiele und Wendungen

Die Polizei konnte den Dieb fangen.
Die Kinder fangen und werfen den Ball.

Fische fangen *angeln*
Er hat sich wieder gefangen. *Er hat sich wieder unter Kontrolle.*

Weitere Verben

ab•fangen – an•fangen – auf•fangen – empfangen

einen Brief abfangen	*einen Brief stehlen, bevor er ankommt*
Der Film fängt an.	*Der Film beginnt.*
Es fängt an zu regnen.	*Es beginnt zu regnen.*
Was sollen wir damit anfangen?	*Wozu sollen wir das verwenden?*
etwas auffangen	*etwas fangen, das herunterfällt*
einen Brief empfangen	*einen Brief bekommen*
einen Gast empfangen	*einen Gast begrüßen*
einen Radiosender empfangen	*einen Radiosender hören können*

Besonderheiten

Im Präteritum spricht man in **fing** ein langes **i:**. Das ist ungewöhnlich, da man ein **i** vor zwei Konsonanten (hier **ng**) normalerweise kurz spricht, wie zum Beispiel in *Ding* oder *singen*.

Tipp

fangen gehört zu den Verben, die auch im Präsens einen Vokalwechsel haben. Deshalb ist es wichtig, dass Sie sich die Formen gut einprägen. Schreiben Sie Mustersätze auf Kärtchen und lernen Sie die vollständigen Formulierungen.

z. B. Ich <u>fange</u> an! aber Wann <u>fängt</u> das Konzert an?

Eigene Notizen:

34 **finden**

finden – fand – gefunden

Stammvokalwechsel **i – a – u**

e-Einschub (siehe S. 44)

Indikativ

Präsens	Perfekt		Futur I	
ich finde	ich habe	gefunden	ich werde	finden
du findest	du hast	gefunden	du wirst	finden
er findet	er hat	gefunden	er wird	finden
wir finden	wir haben	gefunden	wir werden	finden
ihr findet	ihr habt	gefunden	ihr werdet	finden
sie finden	sie haben	gefunden	sie werden	finden

Präteritum	Plusquamperfekt		Futur II	
ich fand	ich hatte	gefunden	ich werde	gefunden haben
du fandst	du hattest	gefunden	du wirst	gefunden haben
er fand	er hatte	gefunden	er wird	gefunden haben
wir fanden	wir hatten	gefunden	wir werden	gefunden haben
ihr fandet	ihr hattet	gefunden	ihr werdet	gefunden haben
sie fanden	sie hatten	gefunden	sie werden	gefunden haben

Konjunktiv

Präsens	Perfekt		Futur I	
ich finde	ich habe	gefunden	ich werde	finden
du findest	du habest	gefunden	du werdest	finden
er finde	er habe	gefunden	er werde	finden
wir finden	wir haben	gefunden	wir werden	finden
ihr findet	ihr habet	gefunden	ihr werdet	finden
sie finden	sie haben	gefunden	sie werden	finden

Präteritum	Plusquamperfekt		Futur II	
ich fände	ich hätte	gefunden	ich werde	gefunden haben
du fändest	du hättest	gefunden	du werdest	gefunden haben
er fände	er hätte	gefunden	er werde	gefunden haben
wir fänden	wir hätten	gefunden	wir werden	gefunden haben
ihr fändet	ihr hättet	gefunden	ihr werdet	gefunden haben
sie fänden	sie hätten	gefunden	sie werden	gefunden haben

Infinitiv	Partizip	Imperativ
Präsens	**Partizip I**	find(e) (du)
finden	findend	finden wir
		findet (ihr)
Perfekt	**Partizip II**	finden Sie
gefunden haben	gefunden	

Beispiele und Wendungen

Hast du den Schlüssel gefunden?
Endlich fanden wir den richtigen Weg.
Ich finde, dass dir die neue Frisur sehr gut steht.

eine Lösung finden	*zu einer Lösung kommen*
Freunde finden	*sich mit Leuten anfreunden*
zum Bahnhof finden	*zum Bahnhof kommen*
einen Termin finden	*gemeinsam einen Termin vereinbaren*
jmdn. nett finden	*die Meinung haben, dass jmd. nett ist*
etwas langweilig finden	*etwas als uninteressant beurteilen*
Ich finde, dass ...	*Ich bin der Meinung, dass ...*

Weitere Verben

sich befinden – erfinden – statt•finden – überwinden – verbinden – verschwinden

Das Hemd befindet sich im Schrank.	*Das Hemd ist im Schrank.*
Geschichten erfinden	*sich Geschichten ausdenken*
Das Konzert findet heute statt.	*Das Konzert ist heute.*
sich zu etwas überwinden	*etwas tun, was man nicht gern tut*
Bitte verbinden Sie mich mit Tina.	*Bitte geben Sie mir Tina ans Telefon.*
spurlos verschwinden	*nirgendwo mehr zu finden sein*
eine Wunde verbinden	*eine Verletzung versorgen / bedecken*

Tipp

Wenn Sie einen Text auf Deutsch lesen, konzentrieren Sie sich zunächst auf die Ihnen bereits bekannten Wörter! Versuchen Sie dann, die unbekannten Wörter aus dem Kontext zu erschließen.

Eigene Notizen:

35 fließen

fließen – floss – geflossen

Stammvokalwechsel **ie – o – o**
s-Ausfall (siehe S. 45) / Konsonantendopplung
(siehe S. 46) / **e**-Einschub (siehe S. 44)

Indikativ

Präsens	Perfekt		Futur I	
ich fließe	ich bin	geflossen	ich werde	fließen
du fließt	du bist	geflossen	du wirst	fließen
er fließt	er ist	geflossen	er wird	fließen
wir fließen	wir sind	geflossen	wir werden	fließen
ihr fließt	ihr seid	geflossen	ihr werdet	fließen
sie fließen	sie sind	geflossen	sie werden	fließen

Präteritum	Plusquamperfekt		Futur II	
ich floss	ich war	geflossen	ich werde	geflossen sein
du flossest	du warst	geflossen	du wirst	geflossen sein
er floss	er war	geflossen	er wird	geflossen sein
wir flossen	wir waren	geflossen	wir werden	geflossen sein
ihr floss(e)t	ihr wart	geflossen	ihr werdet	geflossen sein
sie flossen	sie waren	geflossen	sie werden	geflossen sein

Konjunktiv

Präsens	Perfekt		Futur I	
ich fließe	ich sei	geflossen	ich werde	fließen
du fließest	du sei(e)st	geflossen	du werdest	fließen
er fließe	er sei	geflossen	er werde	fließen
wir fließen	wir seien	geflossen	wir werden	fließen
ihr fließet	ihr sei(e)t	geflossen	ihr werdet	fließen
sie fließen	sie seien	geflossen	sie werden	fließen

Präteritum	Plusquamperfekt		Futur II	
ich flösse	ich wäre	geflossen	ich werde	geflossen sein
du flössest	du wär(e)st	geflossen	du werdest	geflossen sein
er flösse	er wäre	geflossen	er werde	geflossen sein
wir flössen	wir wären	geflossen	wir werden	geflossen sein
ihr flösset	ihr wär(e)t	geflossen	ihr werdet	geflossen sein
sie flössen	sie wären	geflossen	sie werden	geflossen sein

Infinitiv

Präsens

fließen

Perfekt

geflossen sein

Partizip

Partizip I

fließend

Partizip II

geflossen

Imperativ

fließ(e) (du)
fließen wir
fließt (ihr)
fließen Sie

fließen

Beispiele und Wendungen

Der Fluss fließt zum Meer.
Beim Abschied flossen viele Tränen.

Der Strom fließt.	*Die Elektrizität ist an.*
Der Verkehr fließt.	*Die Autos bewegen sich vorwärts.*
Hier ist Geld geflossen.	*Hier wurde Geld gezahlt.*

Weitere Verben

(sich) an•schließen – aus•schließen – beschließen – entschließen

sich einer Gruppe anschließen	*Mitglied einer Gruppe werden*
Es ist nicht auszuschließen, dass ...	*Es ist möglich, dass ...*
Das können wir ausschließen.	*Wir wissen, dass das nicht möglich ist.*
etwas beschließen	*einen Plan fassen*
Wir haben uns entschlossen zu bleiben.	*Wir entschieden, dass wir bleiben.*

Besonderheiten

Die Wörter **ausschließen**, **beschließen**, **(sich) anschließen** und **entschließen** bilden die zusammengesetzten Zeiten mit **haben**. Diese Verben werden aber auch sehr häufig im Zustandspassiv benutzt (vgl. Grammatik S. 21), das mit **sein** gebildet wird.

z. B. Der Plan ist beschlossen.   *Der Plan wurde vereinbart / steht fest.*

Tipp

Im Präsens steht nach dem langen **ie** ein **ß**. In anderen Zeitformen steht anstelle von **ie** ein kurzes **o** – deshalb schreibt man hier **ss**.

z. B. Es fließt. (langes ie → ß)   Es floss. (kurzes o → ss)

Eigene Notizen:

Indikativ

Präsens	Perfekt	Futur I
ich gebe	ich habe gegeben	ich werde geben
du gibst	du hast gegeben	du wirst geben
er gibt	er hat gegeben	er wird geben
wir geben	wir haben gegeben	wir werden geben
ihr gebt	ihr habt gegeben	ihr werdet geben
sie geben	sie haben gegeben	sie werden geben

Präteritum	Plusquamperfekt	Futur II
ich gab	ich hatte gegeben	ich werde gegeben haben
du gabst	du hattest gegeben	du wirst gegeben haben
er gab	er hatte gegeben	er wird gegeben haben
wir gaben	wir hatten gegeben	wir werden gegeben haben
ihr gabt	ihr hattet gegeben	ihr werdet gegeben haben
sie gaben	sie hatten gegeben	sie werden gegeben haben

Konjunktiv

Präsens	Perfekt	Futur I
ich gebe	ich habe gegeben	ich werde geben
du gebest	du habest gegeben	du werdest geben
er gebe	er habe gegeben	er werde geben
wir geben	wir haben gegeben	wir werden geben
ihr gebet	ihr habet gegeben	ihr werdet geben
sie geben	sie haben gegeben	sie werden geben

Präteritum	Plusquamperfekt	Futur II
ich gäbe	ich hätte gegeben	ich werde gegeben haben
du gäb(e)st	du hättest gegeben	du werdest gegeben haben
er gäbe	er hätte gegeben	er werde gegeben haben
wir gäben	wir hätten gegeben	wir werden gegeben haben
ihr gäb(e)t	ihr hättet gegeben	ihr werdet gegeben haben
sie gäben	sie hätten gegeben	sie werden gegeben haben

Infinitiv	Partizip	Imperativ
Präsens	**Partizip I**	gib (du)
geben	gebend	geben wir
		gebt (ihr)
Perfekt	**Partizip II**	geben Sie
gegeben haben	gegeben	

Beispiele und Wendungen

Gabi gibt Thomas ein Buch.
Die Großmutter gibt ihrem Enkel ab und zu etwas Geld.

die Hand geben	*zur Begrüßung die Hand schütteln*
etwas zur Reparatur geben	*eine Sache reparieren lassen*
ein Interview geben	*einem Reporter Fragen beantworten*
eine Party geben	*eine Party veranstalten*

Weitere Verben

auf•geben – aus•geben – (sich) ergeben – heraus•geben – nach•geben – zu•geben

einen Plan aufgeben	*aufhören, etwas zu versuchen*
ein Paket aufgeben	*ein Paket verschicken*
Geld für etwas ausgeben	*Geld für etwas bezahlen*
Ich ergebe mich.	*Ich höre auf zu kämpfen.*
ein Buch herausgeben	*ein Buch veröffentlichen*
Er gibt nach.	*Er lässt jmd. anderes bestimmen.*
Die Tür gab nach.	*Die Tür ließ sich unter Druck bewegen.*
einen Fehler zugeben	*offen sagen, dass man einen Fehler gemacht hat*

Besonderheiten

Eine besondere Formulierung mit **geben** ist **es gibt** (+ Akkusativ). Es wird sehr häufig benutzt, um auszudrücken, was existiert oder vorhanden ist.

z. B.   In Deutschland gibt es 16 Bundesländer.
Es gibt über sechs Millarden Menschen (auf der ganzen Welt).
Diesen Pullover gibt es auch in grün.

Eigene Notizen:

gehen – ging – gegangen

Indikativ

Präsens

ich gehe
du gehst
er geht
wir gehen
ihr geht
sie gehen

Perfekt

ich bin	gegangen
du bist	gegangen
er ist	gegangen
wir sind	gegangen
ihr seid	gegangen
sie sind	gegangen

Futur I

ich werde	gehen
du wirst	gehen
er wird	gehen
wir werden	gehen
ihr werdet	gehen
sie werden	gehen

Präteritum

ich ging
du gingst
er ging
wir gingen
ihr gingt
sie gingen

Plusquamperfekt

ich war	gegangen
du warst	gegangen
er war	gegangen
wir waren	gegangen
ihr wart	gegangen
sie waren	gegangen

Futur II

ich werde	gegangen sein
du wirst	gegangen sein
er wird	gegangen sein
wir werden	gegangen sein
ihr werdet	gegangen sein
sie werden	gegangen sein

Konjunktiv

Präsens

ich gehe
du gehest
er gehe
wir gehen
ihr gehet
sie gehen

Perfekt

ich sei	gegangen
du sei(e)st	gegangen
er sei	gegangen
wir seien	gegangen
ihr sei(e)t	gegangen
sie seien	gegangen

Futur I

ich werde	gehen
du werdest	gehen
er werde	gehen
wir werden	gehen
ihr werdet	gehen
sie werden	gehen

Präteritum

ich ginge
du gingest
er ginge
wir gingen
ihr ginget
sie gingen

Plusquamperfekt

ich wäre	gegangen
du wär(e)st	gegangen
er wäre	gegangen
wir wären	gegangen
ihr wär(e)t	gegangen
sie wären	gegangen

Futur II

ich werde	gegangen sein
du werdest	gegangen sein
er werde	gegangen sein
wir werden	gegangen sein
ihr werdet	gegangen sein
sie werden	gegangen sein

Infinitiv

Präsens

gehen

Perfekt

gegangen sein

Partizip

Partizip I

gehend

Partizip II

gegangen

Imperativ

geh(e) (du)
gehen wir
geht (ihr)
gehen Sie

Beispiele und Wendungen

Wir gehen in den Zoo.
Es tut mir leid, ich muss jetzt gehen.
Der Fernseher ist kaputt – er geht nicht mehr.

in die Schule gehen	*Schüler sein, die Schule besuchen*
in Urlaub gehen	*wegfahren, um Ferien zu machen*
etwas geht	*etwas funktioniert*
Geht das?	*Ist das möglich?*
Wie geht es dir?	*Wie fühlst du dich?*
Das geht mir nicht aus dem Kopf.	*Ich kann das nicht vergessen.*

Weitere Verben

an•gehen – aus•gehen – hintergehen – übergehen – unter•gehen – verloren•gehen

Das geht dich nichts an!	*Das ist nicht deine Sache!*
Wie gehen wir das Problem an?	*Was machen wir gegen das Problem?*
mit jmdm. ausgehen	*mit jmdm. Essen oder Tanzen gehen*
Ihm ist das Geld ausgegangen.	*Das Geld reichte ihm nicht.*
jmdn. hintergehen	*jmdn. betrügen*
Er überging den Fehler.	*Er beachtete den Fehler nicht.*
Das Schiff geht unter.	*Das Schiff sinkt.*
Die Sonne geht unter.	*Es wird Abend.*
verlorengegangen sein	*ergebnislos gesucht werden*

Besonderheiten

Nicht nur das Verb **gehen**, sondern auch viele Kombinationen **gehen** + Präfix (z. B. *vergehen*) bilden die zusammengesetzten Zeiten mit dem Hilfsverb **sein**.

Eigene Notizen:

38 **gelten**

gelten – galt – gegolten

Stammvokalwechsel **e – a – o**
Vokalwechsel im Präsens (siehe S. 13) / **e**-Einschub
(siehe S. 44)

Indikativ

Präsens	Perfekt	Futur I
ich gelte	ich habe gegolten	ich werde gelten
du giltst	du hast gegolten	du wirst gelten
er gilt	er hat gegolten	er wird gelten
wir gelten	wir haben gegolten	wir werden gelten
ihr geltet	ihr habt gegolten	ihr werdet gelten
sie gelten	sie haben gegolten	sie werden gelten

Präteritum	Plusquamperfekt	Futur II
ich galt	ich hatte gegolten	ich werde gegolten haben
du galt(e)st	du hattest gegolten	du wirst gegolten haben
er galt	er hatte gegolten	er wird gegolten haben
wir galten	wir hatten gegolten	wir werden gegolten haben
ihr galtet	ihr hattet gegolten	ihr werdet gegolten haben
sie galten	sie hatten gegolten	sie werden gegolten haben

Konjunktiv

Präsens	Perfekt	Futur I
ich gelte	ich habe gegolten	ich werde gelten
du geltest	du habest gegolten	du werdest gelten
er gelte	er habe gegolten	er werde gelten
wir gelten	wir haben gegolten	wir werden gelten
ihr geltet	ihr habet gegolten	ihr werdet gelten
sie gelten	sie haben gegolten	sie werden gelten

Präteritum	Plusquamperfekt	Futur II
ich gälte / gölte	ich hätte gegolten	ich werde gegolten haben
du gältest / göltest	du hättest gegolten	du werdest gegolten haben
er gälte / gölte	er hätte gegolten	er werde gegolten haben
wir gälten / gölten	wir hätten gegolten	wir werden gegolten haben
ihr gältet / göltet	ihr hättet gegolten	ihr werdet gegolten haben
sie gälten / gölten	sie hätten gegolten	sie werden gegolten haben

Infinitiv	Partizip	Imperativ
Präsens	**Partizip I**	gelt(e) / gilt* (du)
gelten	geltend	gelten wir
		geltet (ihr)
Perfekt	**Partizip II**	gelten Sie
gegolten haben	gegolten	

* selten

Beispiele und Wendungen

Das Ticket gilt nur für heute.
Dr. Schmitt gilt als hervorragender Wissenschaftler.

jmd. gilt als intelligent	*jmd. wird als intelligent angesehen*
Dieses Ticket gilt nicht in Bussen.	*Dieses Ticket ist in Bussen nicht gültig.*
Die Wette gilt!	*Die Wette ist fest vereinbart.*
Das gilt auch für dich!	*Das musst auch du beachten!*
Die Regeln gelten für alle.	*Alle müssen nach den Regeln handeln.*
Der Gruß galt ihm.	*Der Gruß richtete sich an ihn.*
Die Prüfung gilt als schwierig.	*Man findet die Prüfung schwierig.*
Mein Interesse gilt der Forschung.	*Ich interessiere mich für die Forschung.*
Es gelten unsere Geschäftsbedingungen.	*Unsere Geschäftsbedingungen sind die Grundlage für alle Transaktionen.*

Weitere Verben

vergelten

Er wollte ihm diese Bosheit vergelten.	*Er wollte sich für diese Bosheit rächen.*
Wie kann ich dir deine Hilfe vergelten?	*Wie kann ich dir für deine Hilfe danken?*

Besonderheiten

Das Verb **vergelten** ist etwas veraltet. Heutzutage benutzt man meist *danken* bei positiven und *heimzahlen* bei negativen Fällen.

Tipp

Haben Sie mit einer Konjugation Schwierigkeit, dann schreiben Sie das Verb mehrfach ab, das hilft sich die Formen einzuprägen. Markieren Sie dann die Endungen und Besonderheiten einzelner Verbformen farbig.

Eigene Notizen:

gleichen – glich – geglichen

Indikativ

Präsens

ich gleiche
du gleichst
er gleicht
wir gleichen
ihr gleicht
sie gleichen

Perfekt

ich habe   geglichen
du hast   geglichen
er hat   geglichen
wir haben   geglichen
ihr habt   geglichen
sie haben   geglichen

Futur I

ich werde   gleichen
du wirst   gleichen
er wird   gleichen
wir werden gleichen
ihr werdet gleichen
sie werden gleichen

Präteritum

ich glich
du glichst
er glich
wir glichen
ihr glicht
sie glichen

Plusquamperfekt

ich hatte   geglichen
du hattest   geglichen
er hatte   geglichen
wir hatten   geglichen
ihr hattet   geglichen
sie hatten   geglichen

Futur II

ich werde   geglichen haben
du wirst   geglichen haben
er wird   geglichen haben
wir werden geglichen haben
ihr werdet geglichen haben
sie werden geglichen haben

Konjunktiv

Präsens

ich gleiche
du gleichest
er gleiche
wir gleichen
ihr gleichet
sie gleichen

Perfekt

ich habe   geglichen
du habest   geglichen
er habe   geglichen
wir haben   geglichen
ihr habet   geglichen
sie haben   geglichen

Futur I

ich werde   gleichen
du werdest gleichen
er werde   gleichen
wir werden gleichen
ihr werdet gleichen
sie werden gleichen

Präteritum

ich gliche
du glichest
er gliche
wir glichen
ihr glichet
sie glichen

Plusquamperfekt

ich hätte   geglichen
du hättest   geglichen
er hätte   geglichen
wir hätten   geglichen
ihr hättet   geglichen
sie hätten   geglichen

Futur II

ich werde   geglichen haben
du werdest geglichen haben
er werde   geglichen haben
wir werden geglichen haben
ihr werdet geglichen haben
sie werden geglichen haben

Infinitiv

Präsens

gleichen

Perfekt

geglichen haben

Partizip

Partizip I

gleichend

Partizip II

geglichen

Imperativ

gleich(e) (du)
gleichen wir
gleicht (ihr)
gleichen Sie

Beispiele und Wendungen

Das Leben gleicht einem Fluss.
Die Brüder gleichen sich wie ein Ei dem anderen.

seinem Vater gleichen	*seinem Vater sehr ähnlich sein*
einer Sache gleichen	*einer Sache ähnlich sein*
zwei Dinge gleichen sich	*zwei Dinge sehen identisch aus*

Weitere Verben

aus•gleichen – aus•weichen – bleichen – streichen – vergleichen

etwas ausgleichen	*etwas wieder in Balance bringen*
ein Konto ausgleichen	*Geld einzahlen, damit das Konto nicht mehr im Minus ist*
ausgeglichen sein	*guter (nicht extremer) Stimmung sein*
einem Blick ausweichen	*jmdm. nicht in die Augen schauen*
Er konnte gerade noch ausweichen.	*Er konnte so fahren, dass es nicht zum Unfall kam.*
sich die Haare bleichen	*die Haare heller färben*
eine Wand streichen	*eine Wand mit Farbe anmalen*
ein Brot streichen	*ein Brot mit Butter etc. bestreichen*
den Urlaub streichen	*den Urlaub absagen*
einige Dinge vergleichen	*Dinge in Relation zueinander beurteilen*
Das kann man nicht vergleichen.	*Das ist etwas ganz anderes.*

Tipp

Mit den Präfixen **ab-**, **an-**, und **be-** lassen sich weitere Wörter mit **gleichen** bilden. Schlagen Sie die Bedeutungen im Wörterbuch nach und notieren Sie sie hier. Auch **streichen** + Präfix führt zu neuen Wörtern. Kombinieren Sie **streichen** zum Beispiel mit *über-*, *unter-* und *aus-*.

Eigene Notizen:

40 **gleiten**

gleiten – glitt – geglitten

Stammvokalwechsel **ei – i – i**
e-Einschub (siehe S. 44) / Konsonantendopplung
(siehe S. 46)

Indikativ

Präsens	Perfekt		Futur I	
ich gleite	ich bin	geglitten	ich werde	gleiten
du gleitest	du bist	geglitten	du wirst	gleiten
er gleitet	er ist	geglitten	er wird	gleiten
wir gleiten	wir sind	geglitten	wir werden	gleiten
ihr gleitet	ihr seid	geglitten	ihr werdet	gleiten
sie gleiten	sie sind	geglitten	sie werden	gleiten

Präteritum	Plusquamperfekt		Futur II	
ich glitt	ich war	geglitten	ich werde	geglitten sein
du glittst	du warst	geglitten	du wirst	geglitten sein
er glitt	er war	geglitten	er wird	geglitten sein
wir glitten	wir waren	geglitten	wir werden	geglitten sein
ihr glittet	ihr wart	geglitten	ihr werdet	geglitten sein
sie glitten	sie waren	geglitten	sie werden	geglitten sein

Konjunktiv

Präsens	Perfekt		Futur I	
ich gleite	ich sei	geglitten	ich werde	gleiten
du gleitest	du sei(e)st	geglitten	du werdest	gleiten
er gleite	er sei	geglitten	er werde	gleiten
wir gleiten	wir seien	geglitten	wir werden	gleiten
ihr gleitet	ihr sei(e)t	geglitten	ihr werdet	gleiten
sie gleiten	sie seien	geglitten	sie werden	gleiten

Präteritum	Plusquamperfekt		Futur II	
ich glitte	ich wäre	geglitten	ich werde	geglitten sein
du glittest	du wär(e)st	geglitten	du werdest	geglitten sein
er glitte	er wäre	geglitten	er werde	geglitten sein
wir glitten	wir wären	geglitten	wir werden	geglitten sein
ihr glittet	ihr wär(e)t	geglitten	ihr werdet	geglitten sein
sie glitten	sie wären	geglitten	sie werden	geglitten sein

Infinitiv

Präsens

gleiten

Perfekt

geglitten sein

Partizip

Partizip I

gleitend

Partizip II

geglitten

Imperativ

gleit(e) (du)
gleiten wir
gleitet (ihr)
gleiten Sie

Beispiele und Wendungen

Das Segelboot gleitet über das Wasser.
Die Eiskunstläufer glitten über das Eis.

zu Boden gleiten	*auf den Boden hinunter rutschen*
Das Messer glitt durch das Material wie durch Butter.	*Das Messer schnitt ohne Widerstand durch das Material.*

Weitere Verben

entgleiten – fort•schreiten – reiten – schreiten – (sich) streiten

Das Buch entglitt ihm.	*Das Buch ist ihm aus der Hand gerutscht.*
Das Projekt ist ihm entglitten.	*Er hat die Kontrolle über das Projekt verloren.*
Die Zeit schreitet fort.	*Die Zeit geht voran.*
im Galopp reiten	*auf einem Pferd galoppieren*
Der Cowboy ritt davon.	*Der Cowboy hat sich auf seinem Pferd entfernt.*
Die Braut schreitet zum Altar.	*Die Braut geht feierlich zum Altar.*
sich mit jmdm. streiten	*mit jmdm. eine Auseinandersetzung haben*
Darüber lässt sich streiten	*Darüber kann man diskutieren.*

Besonderheiten

Die Verben **reiten**, **entgleiten**, **gleiten** und **schreiten** bilden die zusammengesetzten Zeiten mit dem Hilfsverb **sein**, da sie alle eine Bewegung ausdrücken.

z. B.   Seine Hand <u>ist</u> mir entglitten.
         Die Cowboys <u>sind</u> zur Ranch geritten.

Eigene Notizen:

Stammvokalwechsel **ei – i – i**

greifen – griff – gegriffen

Konsonantendopplung (siehe S. 46)

Indikativ

Präsens	Perfekt	Futur I
ich greife	ich habe gegriffen	ich werde greifen
du greifst	du hast gegriffen	du wirst greifen
er greift	er hat gegriffen	er wird greifen
wir greifen	wir haben gegriffen	wir werden greifen
ihr greift	ihr habt gegriffen	ihr werdet greifen
sie greifen	sie haben gegriffen	sie werden greifen

Präteritum	Plusquamperfekt	Futur II
ich griff	ich hatte gegriffen	ich werde gegriffen haben
du griffst	du hattest gegriffen	du wirst gegriffen haben
er griff	er hatte gegriffen	er wird gegriffen haben
wir griffen	wir hatten gegriffen	wir werden gegriffen haben
ihr grifft	ihr hattet gegriffen	ihr werdet gegriffen haben
sie griffen	sie hatten gegriffen	sie werden gegriffen haben

Konjunktiv

Präsens	Perfekt	Futur I
ich greife	ich habe gegriffen	ich werde greifen
du greifest	du habest gegriffen	du werdest greifen
er greife	er habe gegriffen	er werde greifen
wir greifen	wir haben gegriffen	wir werden greifen
ihr greifet	ihr habet gegriffen	ihr werdet greifen
sie greifen	sie haben gegriffen	sie werden greifen

Präteritum	Plusquamperfekt	Futur II
ich griffe	ich hätte gegriffen	ich werde gegriffen haben
du griffest	du hättest gegriffen	du werdest gegriffen haben
er griffe	er hätte gegriffen	er werde gegriffen haben
wir griffen	wir hätten gegriffen	wir werden gegriffen haben
ihr griffet	ihr hättet gegriffen	ihr werdet gegriffen haben
sie griffen	sie hätten gegriffen	sie werden gegriffen haben

Infinitiv

Präsens

greifen

Perfekt

gegriffen haben

Partizip

Partizip I

greifend

Partizip II

gegriffen

Imperativ

greif(e) (du)
greifen wir
greift (ihr)
greifen Sie

Beispiele und Wendungen

Das Kind griff nach der Hand der Mutter.
Wenn das nicht hilft, müssen wir zu härteren Strafen greifen.

nach etwas greifen	*die Hand nach etwas ausstrecken*
zu einem Buch greifen	*sich ein Buch nehmen*

Weitere Verben

an•greifen – begreifen – ein•greifen – kneifen – schleichen – schleifen – zu•greifen

einen Gegner angreifen	*den Kampf mit einem Gegner beginnen*
jmdn. scharf angreifen	*jmdn. heftig kritisieren*
etwas begreifen	*etwas verstehen*
in ein Geschehen eingreifen	*handeln, um etwas zu verändern*
Die Polizei griff ein.	*Die Polizei übernahm die Kontrolle.*
vor etwas kneifen	*etwas aus Angst nicht tun wollen*
Die Hose kneift.	*Die Hose sitzt zu eng und drückt.*
sich leise aus dem Zimmer schleichen	*lautlos aus dem Zimmer gehen*
das Messer schleifen	*das Messer schärfer machen*
Greif zu!	*Nimm dir, soviel du willst!*
auf die Daten zugreifen	*die Daten lesen oder verwenden*

Tipp

Hier kommt es zur Verdoppelung des **f**. Achten Sie auf das kurze **i** in gri**ff** und gri**ff**en: nach einem kurzen Vokal folgen fast immer mehrere Konsonanten.

Das Verb **schleifen** bedeutet manchmal auch, dass etwas irgendwohin gezogen wird. In diesem Fall wird es regelmäßig konjugiert.

z. B. Er hat den Sack über den Boden geschleift.

Eigene Notizen:

42 halten

halten – hielt – gehalten

Stammvokalwechsel **a – ie – a**
Vokalwechsel im Präsens (siehe S. 13) / **e**-Einschub
(siehe S. 44)

Indikativ

Präsens	Perfekt	Futur I
ich halte	ich habe gehalten	ich werde halten
du hältst	du hast gehalten	du wirst halten
er hält	er hat gehalten	er wird halten
wir halten	wir haben gehalten	wir werden halten
ihr haltet	ihr habt gehalten	ihr werdet halten
sie halten	sie haben gehalten	sie werden halten

Präteritum	Plusquamperfekt	Futur II
ich hielt	ich hatte gehalten	ich werde gehalten haben
du hielt(e)st	du hattest gehalten	du wirst gehalten haben
er hielt	er hatte gehalten	er wird gehalten haben
wir hielten	wir hatten gehalten	wir werden gehalten haben
ihr hieltet	ihr hattet gehalten	ihr werdet gehalten haben
sie hielten	sie hatten gehalten	sie werden gehalten haben

Konjunktiv

Präsens	Perfekt	Futur I
ich halte	ich habe gehalten	ich werde halten
du haltest	du habest gehalten	du werdest halten
er halte	er habe gehalten	er werde halten
wir halten	wir haben gehalten	wir werden halten
ihr haltet	ihr habet gehalten	ihr werdet halten
sie halten	sie haben gehalten	sie werden halten

Präteritum	Plusquamperfekt	Futur II
ich hielte	ich hätte gehalten	ich werde gehalten haben
du hieltest	du hättest gehalten	du werdest gehalten haben
er hielte	er hätte gehalten	er werde gehalten haben
wir hielten	wir hätten gehalten	wir werden gehalten haben
ihr hieltet	ihr hättet gehalten	ihr werdet gehalten haben
sie hielten	sie hätten gehalten	sie werden gehalten haben

Infinitiv

Präsens

halten

Perfekt

gehalten haben

Partizip

Partizip I

haltend

Partizip II

gehalten

Imperativ

halt(e) (du)
halten wir
haltet (ihr)
halten Sie

Beispiele und Wendungen

Der Fischer hält das Netz.
In der einen Hand hielt er seinen Hut, in der anderen Hand einen Regenschirm.

einen Vortrag halten	*zu einem Thema sprechen*
etwas in der Hand halten	*etwas in der Hand haben*
ein Versprechen halten	*tun, was man versprochen hat*
Halt den Mund!	*Sag nichts!*
Davon halte ich nichts.	*Ich finde das nicht gut.*
jmdn. für klug halten	*glauben, dass jmd. klug ist*
Was hältst du von einer Tasse Tee?	*Hast du Lust auf eine Tasse Tee?*
Was hältst du von ihm?	*Was ist deine Meinung über ihn?*

Weitere Verben

auf·halten – aus·halten – behalten – durch·halten – enthalten – erhalten

jmdn. aufhalten	*verhindern, dass jmd. geht*
sich im Hotel aufhalten	*eine Zeit im Hotel verbringen*
Schmerzen aushalten	*Schmerzen ertragen*
Das halte ich nicht mehr aus!	*Das ertrage ich nicht länger.*
ein Buch behalten	*ein Buch nicht mehr zurückgeben*
Wir müssen durchhalten!	*Wir müssen die Situation überstehen.*
Das Buch enthält viele Bilder.	*In dem Buch sind viele Bilder.*
einen Brief erhalten	*einen Brief bekommen*
ein Haus erhalten	*ein Haus pflegen und konservieren*

Tipp

Schaffen Sie Zusammenhänge! Wenn Sie zum Beispiel das Wort **enthalten** lernen, finden Sie möglichst viele Beispiele dazu.

z. B.   Kaffee enthält Coffein. / Eine Packung Zigaretten enthält 20 Stück.

Eigene Notizen:

hängen – hing – gehangen

Indikativ

Präsens	Perfekt	Futur I
ich hänge	ich habe gehangen	ich werde hängen
du hängst	du hast gehangen	du wirst hängen
er hängt	er hat gehangen	er wird hängen
wir hängen	wir haben gehangen	wir werden hängen
ihr hängt	ihr habt gehangen	ihr werdet hängen
sie hängen	sie haben gehangen	sie werden hängen

Präteritum	Plusquamperfekt	Futur II
ich hing	ich hatte gehangen	ich werde gehangen haben
du hing(e)st	du hattest gehangen	du wirst gehangen haben
er hing	er hatte gehangen	er wird gehangen haben
wir hingen	wir hatten gehangen	wir werden gehangen haben
ihr hingt	ihr hattet gehangen	ihr werdet gehangen haben
sie hingen	sie hatten gehangen	sie werden gehangen haben

Konjunktiv

Präsens	Perfekt	Futur I
ich hänge	ich habe gehangen	ich werde hängen
du hängest	du habest gehangen	du werdest hängen
er hänge	er habe gehangen	er werde hängen
wir hängen	wir haben gehangen	wir werden hängen
ihr hänget	ihr habet gehangen	ihr werdet hängen
sie hängen	sie haben gehangen	sie werden hängen

Präteritum	Plusquamperfekt	Futur II
ich hinge	ich hätte gehangen	ich werde gehangen haben
du hingest	du hättest gehangen	du werdest gehangen haben
er hinge	er hätte gehangen	er werde gehangen haben
wir hingen	wir hätten gehangen	wir werden gehangen haben
ihr hinget	ihr hättet gehangen	ihr werdet gehangen haben
sie hingen	sie hätten gehangen	sie werden gehangen haben

Infinitiv	Partizip	Imperativ
Präsens	**Partizip I**	häng(e) (du)
hängen	hängend	hängen wir
		hängt (ihr)
Perfekt	**Partizip II**	hängen Sie
gehangen haben/sein*	gehangen	

* in Süddeutschland auch
mit *sein* konjugiert

Beispiele und Wendungen

Das Bild hängt an der Wand.
Dunkle Regenwolken hingen über der Stadt.

an etwas hängen	*etwas mögen*
Sie hängt an ihrer Mutter.	*Sie hat eine starke Bindung zu ihrer Mutter.*
Die Uhr hängt.	*Die Uhr bleibt stehen.*
Die Maschine hängt.	*Die Maschine funktioniert nicht.*
Der Rauch hängt in der Luft.	*Der Rauch schwebt in der Luft.*
Sie hängt ständig am Telefon.	*Sie telefoniert ständig.*
Der Baum hängt voller Äpfel.	*Der Baum trägt viele Äpfel.*

Weitere Verben

ab•hängen – herum•hängen

Das hängt vom Wetter ab.	*Das kommt aufs Wetter an.*
Das hängt ganz von dir ab.	*Das ist allein deine Entscheidung.*
in der Stadt herumhängen	*sich ohne bestimmten Plan in der Stadt aufhalten (umgangsspr.)*

Besonderheiten

Je nach Bedeutung kann das Verb **hängen** unterschiedlich konjugiert werden.
Wenn *hängen* den Zustand beschreibt, dass eine Sache irgendwo befestigt ist, dann
wird das Wort unregelmäßig (siehe Verbtabelle) konjugiert. Wenn **hängen** dagegen die
Aktion beschreibt, dass jemand etwas irgendwo befestigt, dann wird das Verb regelmäßig
konjugiert.

z. B.   Das Bild hing an der Wand.   *(Zustand)*
        Tom hängte das Bild an die Wand.   *(Aktion)*

Eigene Notizen:

heben – hob – gehoben

Indikativ

Präsens	Perfekt	Futur I
ich hebe	ich habe gehoben	ich werde heben
du hebst	du hast gehoben	du wirst heben
er hebt	er hat gehoben	er wird heben
wir heben	wir haben gehoben	wir werden heben
ihr hebt	ihr habt gehoben	ihr werdet heben
sie heben	sie haben gehoben	sie werden heben

Präteritum	Plusquamperfekt	Futur II
ich hob / hub*	ich hatte gehoben	ich werde gehoben haben
du hobst / hubst*	du hattest gehoben	du wirst gehoben haben
er hob / hub*	er hatte gehoben	er wird gehoben haben
wir hoben / huben*	wir hatten gehoben	wir werden gehoben haben
ihr hobt / hubt*	ihr hattet gehoben	ihr werdet gehoben haben
sie hoben / huben*	sie hatten gehoben	sie werden gehoben haben

Konjunktiv

Präsens	Perfekt	Futur I
ich hebe	ich habe gehoben	ich werde heben
du hebest	du habest gehoben	du werdest heben
er hebe	er habe gehoben	er werde heben
wir heben	wir haben gehoben	wir werden heben
ihr hebet	ihr habet gehoben	ihr werdet heben
sie heben	sie haben gehoben	sie werden heben

Präteritum	Plusquamperfekt	Futur II
ich höbe / hübe*	ich hätte gehoben	ich werde gehoben haben
du höbest / hübest*	du hättest gehoben	du werdest gehoben haben
er höbe / hübe*	er hätte gehoben	er werde gehoben haben
wir höben / hüben*	wir hätten gehoben	wir werden gehoben haben
ihr höbet / hübet*	ihr hättet gehoben	ihr werdet gehoben haben
sie höben / hüben*	sie hätten gehoben	sie werden gehoben haben

Infinitiv	Partizip	Imperativ
Präsens	**Partizip I**	heb(e) (du)
heben	hebend	heben wir
		hebt (ihr)
Perfekt	**Partizip II**	heben Sie
gehoben haben	gehoben	

* veraltete Formen,
gelten nur für *heben*
und Komposita

Beispiele und Wendungen

Ralf hob die Kiste ins Auto.
Der Koffer war so schwer, dass ich ihn nicht heben konnte.

die Hand heben	*die Hand nach oben strecken; oft: sich für etwas melden*
die Stimme heben	*lauter / höher sprechen*
die Stimmung heben	*die Stimmung verbessern*
Der Vorhang im Theater hob sich.	*Der Vorhang bewegte sich nach oben.*
Der Kran hebt die Last.	*Der Kran zieht die Last nach oben.*

Weitere Verben

ab•heben – auf•heben – (sich) erheben – hervor•heben – hoch•heben

Geld vom Konto abheben	*Geld von der Bank holen*
Das Flugzeug hebt ab.	*Das Flugzeug startete.*
sich vom Hintergrund abheben	*vor einem Hintergrund deutlich sichtbar sein*
etwas vom Boden aufheben	*etwas nehmen, was unten liegt*
alte Kleider aufheben	*alte Kleider nicht wegwerfen*
Sie erhob sich.	*Sie stand auf.*
einen Satz hervorheben	*einen Satz im Text markieren*
Ich möchte hervorheben, dass ...	*Ich möchte betonen, dass ...*
ein Kind hochheben	*ein Kind hochhalten*

Tipp

Bestimmt haben Sie schon öfter Wörter als Gegensatzpaare gelernt – *schnell -langsam* beispielsweise. Sie können das auch mit Wendungen machen!

z. B. die Hand heben　　　　　　 – die Hand senken
　　　 Geld abheben　　　　　　　 – Geld einzahlen

Eigene Notizen:

Indikativ

Präsens	**Perfekt**	**Futur I**
ich heiße	ich habe geheißen	ich werde heißen
du heißt	du hast geheißen	du wirst heißen
er heißt	er hat geheißen	er wird heißen
wir heißen	wir haben geheißen	wir werden heißen
ihr heißt	ihr habt geheißen	ihr werdet heißen
sie heißen	sie haben geheißen	sie werden heißen

Präteritum	**Plusquamperfekt**	**Futur II**
ich hieß	ich hatte geheißen	ich werde geheißen haben
du hießest	du hattest geheißen	du wirst geheißen haben
er hieß	er hatte geheißen	er wird geheißen haben
wir hießen	wir hatten geheißen	wir werden geheißen haben
ihr hieß(e)t	ihr hattet geheißen	ihr werdet geheißen haben
sie hießen	sie hatten geheißen	sie werden geheißen haben

Konjunktiv

Präsens	**Perfekt**	**Futur I**
ich heiße	ich habe geheißen	ich werde heißen
du heißest	du habest geheißen	du werdest heißen
er heiße	er habe geheißen	er werde heißen
wir heißen	wir haben geheißen	wir werden heißen
ihr heißet	ihr habet geheißen	ihr werdet heißen
sie heißen	sie haben geheißen	sie werden heißen

Präteritum	**Plusquamperfekt**	**Futur II**
ich hieße	ich hätte geheißen	ich werde geheißen haben
du hießest	du hättest geheißen	du werdest geheißen haben
er hieße	er hätte geheißen	er werde geheißen haben
wir hießen	wir hätten geheißen	wir werden geheißen haben
ihr hießet	ihr hättet geheißen	ihr werdet geheißen haben
sie hießen	sie hätten geheißen	sie werden geheißen haben

Infinitiv	**Partizip**	**Imperativ**
Präsens	**Partizip I**	heiß(e) (du)
heißen	heißend	heißen wir
		heißt (ihr)
Perfekt	**Partizip II**	heißen Sie
geheißen haben	geheißen	

Beispiele und Wendungen

Hallo, ich heiße Ulrike.
Dieser Berg heißt Mount Everest.

Er heißt mit Nachnamen Schmidt.	*Sein Nachname ist Schmidt.*
jmdn. willkommen heißen	*jmdn. herzlich begrüßen*
Was heißt „Blume" auf Englisch?	*Was ist das englische Wort für Blume?*
Wie heißt das auf Deutsch?	*Wie ist die deutsche Übersetzung dafür?*
Was heißt das für uns?	*Welche Konsequenz hat das für uns?*
Was soll das denn heißen?	*Was soll das denn bedeuten?*
Heißt das, du kommst?	*Willst du damit sagen, dass du kommst?*
Es heißt, dass es kalt wird.	*Man sagt, dass es kalt wird.*
Ich komme gern, das heißt, wenn ich darf.	*Ich komme gern, natürlich nur, wenn ich darf.*

Weitere Verben

gut•heißen

etwas nicht gutheißen können	*etwas nicht für richtig halten*

Tipp

Lesen Sie sich die Wendungen und Beispielsätze mehrmals laut vor.
Ändern Sie dabei vielleicht auch einmal den Tonfall: Sprechen Sie die Wendungen einmal
leise und freundlich, dann laut und ärgerlich, und beim nächsten mal vielleicht so, als
würden Sie mit jemandem flirten?
Auf diese Weise erhalten die Wörter mehr Bedeutung – und sind leichter zu lernen.

Eigene Notizen:

helfen – half – geholfen

Stammvokalwechsel **e – a – o**

Vokalwechsel im Präsens (siehe S. 13)

Indikativ

Präsens	Perfekt		Futur I	
ich helfe	ich habe	geholfen	ich werde	helfen
du hilfst	du hast	geholfen	du wirst	helfen
er hilft	er hat	geholfen	er wird	helfen
wir helfen	wir haben	geholfen	wir werden	helfen
ihr helft	ihr habt	geholfen	ihr werdet	helfen
sie helfen	sie haben	geholfen	sie werden	helfen

Präteritum	Plusquamperfekt		Futur II	
ich half	ich hatte	geholfen	ich werde	geholfen haben
du halfst	du hattest	geholfen	du wirst	geholfen haben
er half	er hatte	geholfen	er wird	geholfen haben
wir halfen	wir hatten	geholfen	wir werden	geholfen haben
ihr halft	ihr hattet	geholfen	ihr werdet	geholfen haben
sie halfen	sie hatten	geholfen	sie werden	geholfen haben

Konjunktiv

Präsens	Perfekt		Futur I	
ich helfe	ich habe	geholfen	ich werde	helfen
du helfest	du habest	geholfen	du werdest	helfen
er helfe	er habe	geholfen	er werde	helfen
wir helfen	wir haben	geholfen	wir werden	helfen
ihr helfet	ihr habet	geholfen	ihr werdet	helfen
sie helfen	sie haben	geholfen	sie werden	helfen

Präteritum	Plusquamperfekt		Futur II	
ich hülfe / hälfe*	ich hätte	geholfen	ich werde	geholfen haben
du hülfest / hälfest*	du hättest	geholfen	du werdest	geholfen haben
er hülfe / hälfe*	er hätte	geholfen	er werde	geholfen haben
wir hülfen / hälfen*	wir hätten	geholfen	wir werden	geholfen haben
ihr hülfet / hälfet*	ihr hättet	geholfen	ihr werdet	geholfen haben
sie hülfen / hälfen*	sie hätten	geholfen	sie werden	geholfen haben

Infinitiv	Partizip	Imperativ
Präsens	**Partizip I**	hilf (du)
helfen	helfend	helfen wir
		helft (ihr)
Perfekt	**Partizip II**	helfen Sie
geholfen haben	geholfen	

* selten

Beispiele und Wendungen

Hilfst du mir, die Kiste zu tragen?
Bei Kopfschmerzen hilft manchmal etwas frische Luft.

jmdm. bei etwas helfen	*jmdn. in einer Sache unterstützen*
jmdm. über die Straße helfen	*jmdn. über die Straße bringen*
Kann man Ihnen helfen?	*Kann ich etwas für Sie tun?*
Er weiß sich nicht zu helfen	*Er findet keine Lösung für ein Problem.*
Ihm ist nicht mehr zu helfen.	*Bei ihm sind alle Ratschläge umsonst.*

Weitere Verben

aus•helfen – mit•helfen – nach•helfen – weiter•helfen

in einem Unternehmen aushelfen	*jmdn. bei einer Aufgabe unterstützen*
bei einem Projekt mithelfen	*an einem Projekt mitarbeiten*
bei etwas nachhelfen	*Extra-Unterstützung geben*
jmdm. weiterhelfen	*jmdn. in einem Vorhaben voranbringen*

Besonderheiten

Wenn nach **helfen** nur ein einfaches Verb steht, braucht man kein **zu**. Folgt aber eine längere Ergänzung, muss man das Wort **zu** verwenden.

z. B. Ich helfe dir <u>kochen</u>.   Ich helfe dir, *das Essen* <u>zu kochen</u>.

Tipp

Erweitern Sie Ihren Wortschatz! Alle ,*weiteren Verben'* können Sie in Substantive umwandeln, indem sie das Präfix mit dem Wort **Hilfe** kombinieren.

z. B. nachhelfen   → Nachhilfe

Schlagen Sie die Bedeutungen im Wörterbuch nach und schreiben Sie sich die Wendungen mit den passenden Verben und jeweiligen Bedeutungen auf.

z. B. Nachhilfe   → Nachhilfe nehmen, Nachhilfe geben …

Eigene Notizen:

Indikativ

Präsens	Perfekt	Futur I
ich kenne	ich habe gekannt	ich werde kennen
du kennst	du hast gekannt	du wirst kennen
er kennt	er hat gekannt	er wird kennen
wir kennen	wir haben gekannt	wir werden kennen
ihr kennt	ihr habt gekannt	ihr werdet kennen
sie kennen	sie haben gekannt	sie werden kennen

Präteritum	Plusquamperfekt	Futur II
ich kannte / kennte*	ich hatte gekannt	ich werde gekannt haben
du kanntest / kenntest*	du hattest gekannt	du wirst gekannt haben
er kannte / kennte*	er hatte gekannt	er wird gekannt haben
wir kannten / kennten*	wir hatten gekannt	wir werden gekannt haben
ihr kanntet / kenntet*	ihr hattet gekannt	ihr werdet gekannt haben
sie kannten / kennten*	sie hatten gekannt	sie werden gekannt haben

Konjunktiv

Präsens	Perfekt	Futur I
ich kenne	ich habe gekannt	ich werde kennen
du kennest	du habest gekannt	du werdest kennen
er kenne	er habe gekannt	er werde kennen
wir kennen	wir haben gekannt	wir werden kennen
ihr kennet	ihr habet gekannt	ihr werdet kennen
sie kennen	sie haben gekannt	sie werden kennen

Präteritum	Plusquamperfekt	Futur II
ich kennte	ich hätte gekannt	ich werde gekannt haben
du kenntest	du hättest gekannt	du werdest gekannt haben
er kennte	er hätte gekannt	er werde gekannt haben
wir kennten	wir hätten gekannt	wir werden gekannt haben
ihr kenntet	ihr hättet gekannt	ihr werdet gekannt haben
sie kennten	sie hätten gekannt	sie werden gekannt haben

Infinitiv

Präsens

kennen

Perfekt

gekannt haben

Partizip

Partizip I

kennend

Partizip II

gekannt

Imperativ

kenn(e) (du)
kennen wir
kennt (ihr)
kennen Sie

* selten

Beispiele und Wendungen

Sanne kennt Günter schon sehr lange.
Er kennt die Stadt sehr gut, da er hier aufgewachsen ist.

jmdn. gut kennen	*mit jmdm. sehr vertraut sein*
Ich kenne seinen Namen nicht.	*Ich weiß nicht, wie er heißt.*
Ich kenne da ein nettes Café.	*Ich weiß dort ein nettes Café.*
Man kennt Bob Dylan als Sänger.	*Bob Dylan ist als Sänger bekannt.*
Wie ich sie kenne, ist sie schon wach.	*Nach meiner Erfahrung / Einschätzung ist sie schon wach.*
Er kannte kein Mitleid.	*Er handelte, ohne Mitleid zu zeigen.*

Weitere Verben

ab•brennen – nennen – rennen – verbrennen

Ein Haus brennt ab.	*Ein Haus wird durch Feuer vernichtet.*
Sie nannte ihren Sohn Paul.	*Sie gab ihrem Sohn den Namen Paul.*
Er heißt Alfred, aber er nennt sich Ali.	*Sein Name ist Alfred, aber er lässt sich Ali rufen.*
aus dem Zimmer rennen	*schnell aus dem Zimmer laufen*
sich die Finger verbrennen	*sich die Finger am Feuer verletzen*
	übertragen: etwas tun, was einem schadet.
Briefe verbrennen	*Briefe im Feuer vernichten*

Besonderheiten

Vorsicht! Die Konjunktivform von **kennen** leitet sich nicht vom Präteritum *kannte* ab, sondern lautet **kennte**:

z. B. Wenn du ihn wirklich *kenntest*, würdest du anders über ihn denken.

Eigene Notizen:

Stammvokalwechsel **o – a – o**

Ausfall des Doppelkonsonanten (siehe S. 46)

Indikativ

Präsens	Perfekt		Futur I	
ich komme	ich bin	gekommen	ich werde	kommen
du kommst	du bist	gekommen	du wirst	kommen
er kommt	er ist	gekommen	er wird	kommen
wir kommen	wir sind	gekommen	wir werden	kommen
ihr kommt	ihr seid	gekommen	ihr werdet	kommen
sie kommen	sie sind	gekommen	sie werden	kommen

Präteritum	Plusquamperfekt		Futur II	
ich kam	ich war	gekommen	ich werde	gekommen sein
du kamst	du warst	gekommen	du wirst	gekommen sein
er kam	er war	gekommen	er wird	gekommen sein
wir kamen	wir waren	gekommen	wir werden	gekommen sein
ihr kamt	ihr wart	gekommen	ihr werdet	gekommen sein
sie kamen	sie waren	gekommen	sie werden	gekommen sein

Konjunktiv

Präsens	Perfekt		Futur I	
ich komme	ich sei	gekommen	ich werde	kommen
du kommest	du sei(e)st	gekommen	du werdest	kommen
er komme	er sei	gekommen	er werde	kommen
wir kommen	wir seien	gekommen	wir werden	kommen
ihr kommet	ihr sei(e)t	gekommen	ihr werdet	kommen
sie kommen	sie seien	gekommen	sie werden	kommen

Präteritum	Plusquamperfekt		Futur II	
ich käme	ich wäre	gekommen	ich werde	gekommen sein
du käm(e)st	du wär(e)st	gekommen	du werdest	gekommen sein
er käme	er wäre	gekommen	er werde	gekommen sein
wir kämen	wir wären	gekommen	wir werden	gekommen sein
ihr käm(e)t	ihr wär(e)t	gekommen	ihr werdet	gekommen sein
sie kämen	sie wären	gekommen	sie werden	gekommen sein

Infinitiv	Partizip	Imperativ
Präsens	**Partizip I**	komm(e) (du)
kommen	kommend	kommen wir
		kommt (ihr)
Perfekt	**Partizip II**	kommen Sie
gekommen sein	gekommen	

Unregelmäßiges Verb

Beispiele und Wendungen

Tanja kommt immer pünktlich.
Emil kommt aus der Schweiz.
Wie kommt man von hier zum Flughafen?

nach Hause kommen	*zu Hause eintreffen*
Komm schon!	*Beeil dich! Mach schnell!*
Morgen kommt Steffi zu mir.	*Morgen besucht mich Steffi.*
Komm, wir gehen ins Kino!	*Lass uns ins Kino gehen!*
Wie kommst du darauf?	*Woher hast du diese Idee?*
Wann kommt Elisa in die Schule?	*Wann beginnt Elisa mit der Schule?*
Dann kam sie wieder zu sich.	*Dann erwachte sie aus der Ohnmacht.*
Das kommt jetzt sehr überraschend.	*Das wurde sehr überraschend gesagt.*
Es kam zum Streit.	*Ein Streit entwickelte sich.*

Weitere Verben

an•kommen – bekommen – mit•kommen – um•kommen

an einem Ort ankommen	*einen Ort erreichen*
das kommt darauf an, ob ...	*das hängt davon ab, ob ...*
ein Geschenk bekommen	*ein Geschenk erhalten*
einen Schnupfen bekommen	*an einem Schnupfen erkranken*
jmd. kommt mit	*jmd. schließt sich einer Gruppe an*
bei einem Unfall umkommen	*bei einem Unfall sterben*

Tipp

Setzen Sie sich beim Deutschlernen realistische Ziele. Es braucht Zeit, eine Sprache zu lernen – also nehmen Sie sich nicht zu viel vor! Besser Sie lernen mehrmals pro Woche eine halbe Stunde, als nur einmal 5 Stunden.

Eigene Notizen:

können – konnte – gekonnt

Indikativ

Präsens	Perfekt	Futur I
ich kann	ich habe gekonnt	ich werde können
du kannst	du hast gekonnt	du wirst können
er kann	er hat gekonnt	er wird können
wir können	wir haben gekonnt	wir werden können
ihr könnt	ihr habt gekonnt	ihr werdet können
sie können	sie haben gekonnt	sie werden können

Präteritum	Plusquamperfekt	Futur II
ich konnte	ich hatte gekonnt	ich werde gekonnt haben
du konntest	du hattest gekonnt	du wirst gekonnt haben
er konnte	er hatte gekonnt	er wird gekonnt haben
wir konnten	wir hatten gekonnt	wir werden gekonnt haben
ihr konntet	ihr hattet gekonnt	ihr werdet gekonnt haben
sie konnten	sie hatten gekonnt	sie werden gekonnt haben

Konjunktiv

Präsens	Perfekt	Futur I
ich könne	ich habe gekonnt	ich werde können
du könnest	du habest gekonnt	du werdest können
er könne	er habe gekonnt	er werde können
wir können	wir haben gekonnt	wir werden können
ihr könnet	ihr habet gekonnt	ihr werdet können
sie können	sie haben gekonnt	sie werden können

Präteritum	Plusquamperfekt	Futur II
ich könnte	ich hätte gekonnt	ich werde gekonnt haben
du könntest	du hättest gekonnt	du werdest gekonnt haben
er könnte	er hätte gekonnt	er werde gekonnt haben
wir könnten	wir hätten gekonnt	wir werden gekonnt haben
ihr könntet	ihr hättet gekonnt	ihr werdet gekonnt haben
sie könnten	sie hätten gekonnt	sie werden gekonnt haben

Infinitiv

Präsens

können

Perfekt

gekonnt haben

Partizip

Partizip I

könnend

Partizip II

gekonnt

Imperativ

—
—
—
—

Beispiele und Wendungen

Alexander kann sehr gut Klavier spielen.
Tine kann Französisch, Englisch und Rumänisch.

Ich kann Deutsch.	*Ich spreche und verstehe Deutsch.*
Er kann nichts dafür.	*Er ist an etwas nicht schuld.*
Kann ich ins Bad?	*Darf ich ins Bad?*
Wie konntest du nur?	*Warum hast du das getan?*
Kannst du mir das Buch geben?	*Würdest du mir bitte das Buch geben?*
Kannst du Auto fahren?	*Bist du fähig, Auto zu fahren?*
Das kann schon sein.	*Das ist schon möglich.*
Das kann passieren.	*Es ist möglich, dass das passiert.*
Wer fertig ist, kann gehen.	*Wer fertig ist, darf gehen.*
Sie kann auch den Bus verpasst haben.	*Es ist möglich, dass sie den Bus verpasst hat.*

Besonderheiten

Steht im Satz neben **können** ein zweites Verb, so wird in Perfekt und Plusquamperfekt die Form *können* statt Partizip II verwendet. Nur selten, wenn *können* als selbstständiges Vollverb verwendet wird, benötigt man die Form *gekonnt*. (vgl. *dürfen*, → Nr. 28).

z. B. Der Spieler war erschöpft, er hat nicht mehr <u>gekonnt</u>. (Vollverb)
       Er hat sich kaum noch bewegen <u>können</u>. (Modalverb)

können wird häufig in Fragen benutzt, um eine Bitte höflicher zu gestalten. Noch höflicher wird der Konjunktiv empfunden (ähnlich wie *würde*).

z. B. Gib mir bitte das Buch. (normaler Imperativ)
       Kannst du mir bitte das Buch geben? (höfliche Frage)
       Könntest du mir bitte das Buch geben? (noch höflichere Frage)

Eigene Notizen:

laden – lud – geladen

Stammvokalwechsel **a -u - a**
Vokalwechsel im Präsens (siehe S. 13) / **e**-Einschub
(siehe S. 44)

Indikativ

Präsens	Perfekt	Futur I
ich lade	ich habe geladen	ich werde laden
du lädst	du hast geladen	du wirst laden
er lädt	er hat geladen	er wird laden
wir laden	wir haben geladen	wir werden laden
ihr ladet	ihr habt geladen	ihr werdet laden
sie laden	sie haben geladen	sie werden laden

Präteritum	Plusquamperfekt	Futur II
ich lud	ich hatte geladen	ich werde geladen haben
du lud(e)st	du hattest geladen	du wirst geladen haben
er lud	er hatte geladen	er wird geladen haben
wir luden	wir hatten geladen	wir werden geladen haben
ihr ludet	ihr hattet geladen	ihr werdet geladen haben
sie luden	sie hatten geladen	sie werden geladen haben

Konjunktiv

Präsens	Perfekt	Futur I
ich lade	ich habe geladen	ich werde laden
du ladest	du habest geladen	du werdest laden
er lade	er habe geladen	er werde laden
wir laden	wir haben geladen	wir werden laden
ihr ladet	ihr habet geladen	ihr werdet laden
sie laden	sie haben geladen	sie werden laden

Präteritum	Plusquamperfekt	Futur II
ich lüde	ich hätte geladen	ich werde geladen haben
du lüdest	du hättest geladen	du werdest geladen haben
er lüde	er hätte geladen	er werde geladen haben
wir lüden	wir hätten geladen	wir werden geladen haben
ihr lüdet	ihr hättet geladen	ihr werdet geladen haben
sie lüden	sie hätten geladen	sie werden geladen haben

Infinitiv	Partizip	Imperativ
Präsens	**Partizip I**	lad(e) (du)
laden	ladend	laden wir
		ladet (ihr)
Perfekt	**Partizip II**	laden Sie
geladen haben	geladen	

Beispiele und Wendungen

Vergiss nicht, die Batterien zu laden.
Der LKW lädt Lebensmittel und bringt sie zu den Supermärkten.

eine Datei auf den Computer laden	*mit dem Computer eine Datei einlesen*
etwas ins Auto laden	*eine Last ins Auto legen*

Weitere Verben

auf•laden – beladen – ein•laden – entladen

eine Batterie aufladen	*einen Akku mit Elektrizität füllen*
das Handy-Guthaben aufladen	*Gesprächszeit für ein Handy kaufen*
ein Auto beladen	*Gepäck in ein Auto stellen*
Freunde zum Essen einladen	*Freunde bitten, zum Essen zu kommen*

Besonderheiten

Vorsicht bei der Aussprache! Man schreibt im Präsens **„du lädtst"** und **„er lädt"** – zu hören ist aber nur ein **t**. Auch das **ä** bleibt lang und wird nicht (wie normalerweise üblich) vor einem Doppelkonsonanten kurz auspgesprochen.

Tipp

Es gibt viele Wörter, die mit **laden** verwandt sind. Welche kennen Sie bereits? Schlagen Sie weitere im Wörterbuch nach und zeichnen Sie ein Diagramm:

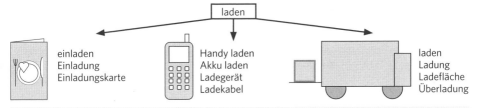

laden

einladen
Einladung
Einladungskarte

Handy laden
Akku laden
Ladegerät
Ladekabel

laden
Ladung
Ladefläche
Überladung

Eigene Notizen:

lassen – ließ – gelassen

Stammvokalwechsel **a – ie – a** / Vokalwechsel im Präsens (siehe S. 13) / **s**-Ausfall (siehe S. 45) / **e**-Einschub (siehe S. 44) / Ausfall des Doppelkonsonanten (siehe S. 46)

Indikativ

Präsens	Perfekt	Futur I
ich lasse	ich habe gelassen	ich werde lassen
du lässt / lässest*	du hast gelassen	du wirst lassen
er lässt	er hat gelassen	er wird lassen
wir lassen	wir haben gelassen	wir werden lassen
ihr lasst	ihr habt gelassen	ihr werdet lassen
sie lassen	sie haben gelassen	sie werden lassen

Präteritum	Plusquamperfekt	Futur II
ich ließ	ich hatte gelassen	ich werde gelassen haben
du ließest	du hattest gelassen	du wirst gelassen haben
er ließ	er hatte gelassen	er wird gelassen haben
wir ließen	wir hatten gelassen	wir werden gelassen haben
ihr ließ(e)t	ihr hattet gelassen	ihr werdet gelassen haben
sie ließen	sie hatten gelassen	sie werden gelassen haben

Konjunktiv

Präsens	Perfekt	Futur I
ich lasse	ich habe gelassen	ich werde lassen
du lassest	du habest gelassen	du werdest lassen
er lasse	er habe gelassen	er werde lassen
wir lassen	wir haben gelassen	wir werden lassen
ihr lasset	ihr habet gelassen	ihr werdet lassen
sie lassen	sie haben gelassen	sie werden lassen

Präteritum	Plusquamperfekt	Futur II
ich ließe	ich hätte gelassen	ich werde gelassen haben
du ließest	du hättest gelassen	du werdest gelassen haben
er ließe	er hätte gelassen	er werde gelassen haben
wir ließen	wir hätten gelassen	wir werden gelassen haben
ihr ließet	ihr hättet gelassen	ihr werdet gelassen haben
sie ließen	sie hätten gelassen	sie werden gelassen haben

Infinitiv

Präsens

lassen

Perfekt

gelassen haben

Partizip

Partizip I

lassend

Partizip II

gelassen

Imperativ

lass(e) (du)
lassen wir
lasst (ihr)
lassen Sie

* veraltet

Beispiele und Wendungen

Lass mich bitte herein.
Lasst das Kind noch ein wenig schlafen.
Morgen lasse ich mir endlich die Haare schneiden.

jmdn. in Ruhe lassen	*jmdn. nicht stören*
Lass das!	*Hör auf damit!*
einen Stein fallen lassen	*erlauben, dass ein Stein herunterfällt*
etwas zuhause lassen	*etwas nicht mitnehmen*
ein Auto reparieren lassen	*die Reparatur des Autos beauftragen*
Lasst uns losgehen!	*Bitte geht gemeinsam mit mir los!*
Der Herd lässt sich leicht reinigen.	*Man kann den Herd leicht reinigen.*
Das lässt sich machen!	*Es ist möglich, das zu machen.*
Er lässt die Schüler schreiben.	*Er befiehlt den Schülern zu schreiben.*

Weitere Verben

entlassen – frei•lassen – hinterlassen – zu•lassen

entlassen werden	*seine Arbeitsstelle verlieren*
aus dem Krankenhaus entlassen	*gesund aus dem Krankenhaus gehen* werden *dürfen*
aus dem Gefängnis entlassen werden	*nach einer Strafe gehen dürfen*
jmdn. freilassen	*einen Gefangenen gehen lassen*
eine Nachricht hinterlassen	*für jmdn. eine Nachricht hinterlegen*
Das lasse ich nicht zu!	*Ich erlaube nicht, dass das passiert!*

Besonderheiten

Wenn man jemanden dazu bringt, etwas zu tun, benutzt man neben **lassen** den Akkussativ. Doch wenn jemand anderes etwas für sich erledigen lässt, benutzt man den Dativ.

z. B. Ich lasse <u>ihn</u> warten.   Ich lasse <u>mir</u> die Haare schneiden

Eigene Notizen:

Indikativ

Präsens	Perfekt		Futur I	
ich laufe	ich bin	gelaufen	ich werde	laufen
du läufst	du bist	gelaufen	du wirst	laufen
er läuft	er ist	gelaufen	er wird	laufen
wir laufen	wir sind	gelaufen	wir werden	laufen
ihr lauft	ihr seid	gelaufen	ihr werdet	laufen
sie laufen	sie sind	gelaufen	sie werden	laufen

Präteritum	Plusquamperfekt		Futur II	
ich lief	ich war	gelaufen	ich werde	gelaufen sein
du liefst	du warst	gelaufen	du wirst	gelaufen sein
er lief	er war	gelaufen	er wird	gelaufen sein
wir liefen	wir waren	gelaufen	wir werden	gelaufen sein
ihr lieft	ihr wart	gelaufen	ihr werdet	gelaufen sein
sie liefen	sie waren	gelaufen	sie werden	gelaufen sein

Konjunktiv

Präsens	Perfekt		Futur I	
ich laufe	ich sei	gelaufen	ich werde	laufen
du laufest	du sei(e)st	gelaufen	du werdest	laufen
er laufe	er sei	gelaufen	er werde	laufen
wir laufen	wir seien	gelaufen	wir werden	laufen
ihr laufet	ihr sei(e)t	gelaufen	ihr werdet	laufen
sie laufen	sie seien	gelaufen	sie werden	laufen

Präteritum	Plusquamperfekt		Futur II	
ich liefe	ich wäre	gelaufen	ich werde	gelaufen sein
du liefest	du wär(e)st	gelaufen	du werdest	gelaufen sein
er liefe	er wäre	gelaufen	er werde	gelaufen sein
wir liefen	wir wären	gelaufen	wir werden	gelaufen sein
ihr liefet	ihr wär(e)t	gelaufen	ihr werdet	gelaufen sein
sie liefen	sie wären	gelaufen	sie werden	gelaufen sein

Infinitiv

Präsens

laufen

Perfekt

gelaufen sein/haben

Partizip

Partizip I

laufend

Partizip II

gelaufen

Imperativ

lauf(e) (du)
laufen wir
lauft (ihr)
laufen Sie

Beispiele und Wendungen

Susanne läuft immer zur Arbeit.
Der Fernseher läuft bei ihm den ganzen Tag.
Die Verhandlungen laufen sehr gut.

Schlittschuh laufen	*auf dem Eis skaten*
Der Motor läuft.	*Der Motor funktioniert.*
Meine Nase läuft.	*Ich bin krank, meine Nase tropft.*
Was läuft im Kino?	*Welche Filme werden im Kino gezeigt?*
Das Wasser läuft in den Eimer.	*Das Wasser fließt in den Eimer.*
etwas läuft schlecht	*etwas entwickelt sich negativ*
So läuft das hier nicht.	*Dieses Verhalten erlauben wir nicht.*
Der Vertrag läuft 24 Monate.	*Der Vertrag ist für 24 Monate gültig.*

Weitere Verben

aus•laufen – ab•laufen – überlaufen – sich verlaufen – verlaufen – weg•laufen

ein Schiff läuft aus	*ein Schiff verlässt den Hafen*
der Vertrag läuft aus	*die Gültigkeit des Vertrags endet*
die Zeit läuft ab	*die Zeit für etwas endet*
Ich habe mich verlaufen.	*Ich weiß nicht mehr, wo ich bin.*
nach Plan verlaufen	*wie geplant stattfinden.*
vor jmdm. weglaufen	*versuchen, jmdm. zu entkommen*

Besonderheiten

Ein kleiner Tipp zum Thema Wintersport: *Ski laufen* und *Schlittschuh laufen* – schreibt man getrennt (Nomen + Verb), *eislaufen* schreibt man zusammen.

z. B.   Morgen Nachmittag wollen wir <u>Schlittschuh laufen</u>.
        Früher wollte ich immer <u>eislaufen</u> lernen.

Eigene Notizen:

53 **leiden**

leiden – litt – gelitten

Stammvokalwechsel **ei - i - i**
e-Einschub (siehe S. 44) / Konsonantendopplung
(siehe S. 46) mit Konsonantenwechsel

Indikativ

Präsens	Perfekt	Futur I
ich leide	ich habe gelitten	ich werde leiden
du leidest	du hast gelitten	du wirst leiden
er leidet	er hat gelitten	er wird leiden
wir leiden	wir haben gelitten	wir werden leiden
ihr leidet	ihr habt gelitten	ihr werdet leiden
sie leiden	sie haben gelitten	sie werden leiden

Präteritum	Plusquamperfekt	Futur II
ich litt	ich hatte gelitten	ich werde gelitten haben
du litt(e)st	du hattest gelitten	du wirst gelitten haben
er litt	er hatte gelitten	er wird gelitten haben
wir litten	wir hatten gelitten	wir werden gelitten haben
ihr littet	ihr hattet gelitten	ihr werdet gelitten haben
sie litten	sie hatten gelitten	sie werden gelitten haben

Konjunktiv

Präsens	Perfekt	Futur I
ich leide	ich habe gelitten	ich werde leiden
du leidest	du habest gelitten	du werdest leiden
er leide	er habe gelitten	er werde leiden
wir leiden	wir haben gelitten	wir werden leiden
ihr leidet	ihr habet gelitten	ihr werdet leiden
sie leiden	sie haben gelitten	sie werden leiden

Präteritum	Plusquamperfekt	Futur II
ich litte	ich hätte gelitten	ich werde gelitten haben
du littest	du hättest gelitten	du werdest gelitten haben
er litte	er hätte gelitten	er werde gelitten haben
wir litten	wir hätten gelitten	wir werden gelitten haben
ihr littet	ihr hättet gelitten	ihr werdet gelitten haben
sie litten	sie hätten gelitten	sie werden gelitten haben

Infinitiv

Präsens

leiden

Perfekt

gelitten haben

Partizip

Partizip I

leidend

Partizip II

gelitten

Imperativ

leide (du)
leiden wir
leidet (ihr)
leiden Sie

Beispiele und Wendungen

Die Patientin leidet an Asthma.
Er leidet sehr, seit ihn seine Freundin verlassen hat.

unter Stress leiden	*durch Stress geschädigt sein*
Hunger leiden	*nichts zu Essen haben*
Ich kann ihn gut leiden.	*Ich mag ihn gern.*
Ich kann laute Musik nicht leiden.	*Ich mag laute Musik nicht.*

Weitere Verben

ab•schneiden – schneiden – sich überschneiden – zu•schneiden

bei etwas gut abschneiden	*bei etwas ein gutes Ergebnis erzielen*
jmdm. den Weg abschneiden	*sich jmdm. in den Weg stellen*
sich schneiden	*sich an einem Messer verletzen*
Brot schneiden	*Brot mit dem Messer in Scheiben teilen*
sich die Haare schneiden lassen	*zum Frisör gehen*
Da hast du dich geschnitten.	*Da irrst du dich sehr.*
Die Termine überschneiden sich.	*Die Termine sind teilweise zeitgleich.*
Stoff zuschneiden	*Stoff mit der Schere anpassen*

Tipp

Wenn Sie zu den Menschen gehören, die gut durch Hören lernen können, dann hören Sie sich selbst zu! Nehmen Sie sich beim Sprechen der Verbkonjugationen auf – zum Beispiel mit einem Diktiergerät oder am PC – und hören Sie sich immer wieder an.
Sie können bei der Aufnahme auch Pausen machen, in denen Sie das Gehörte dann noch zusätzlich nachsprechen können.

Eigene Notizen:

leihen – lieh – geliehen

Indikativ

Präsens	Perfekt		Futur I	
ich leihe	ich habe	geliehen	ich werde	leihen
du leihst	du hast	geliehen	du wirst	leihen
er leiht	er hat	geliehen	er wird	leihen
wir leihen	wir haben	geliehen	wir werden	leihen
ihr leiht	ihr habt	geliehen	ihr werdet	leihen
sie leihen	sie haben	geliehen	sie werden	leihen

Präteritum	Plusquamperfekt		Futur II	
ich lieh	ich hatte	geliehen	ich werde	geliehen haben
du liehst	du hattest	geliehen	du wirst	geliehen haben
er lieh	er hatte	geliehen	er wird	geliehen haben
wir liehen	wir hatten	geliehen	wir werden	geliehen haben
ihr lieht	ihr hattet	geliehen	ihr werdet	geliehen haben
sie liehen	sie hatten	geliehen	sie werden	geliehen haben

Konjunktiv

Präsens	Perfekt		Futur I	
ich leihe	ich habe	geliehen	ich werde	leihen
du leihest	du habest	geliehen	du werdest	leihen
er leihe	er habe	geliehen	er werde	leihen
wir leihen	wir haben	geliehen	wir werden	leihen
ihr leihet	ihr habet	geliehen	ihr werdet	leihen
sie leihen	sie haben	geliehen	sie werden	leihen

Präteritum	Plusquamperfekt		Futur II	
ich liehe	ich hätte	geliehen	ich werde	geliehen haben
du liehest	du hättest	geliehen	du werdest	geliehen haben
er liehe	er hätte	geliehen	er werde	geliehen haben
wir liehen	wir hätten	geliehen	wir werden	geliehen haben
ihr liehet	ihr hättet	geliehen	ihr werdet	geliehen haben
sie liehen	sie hätten	geliehen	sie werden	geliehen haben

Infinitiv

Präsens

leihen

Perfekt

geliehen haben

Partizip

Partizip I

leihend

Partizip II

geliehen

Imperativ

leih(e) (du)
leihen wir
leiht (ihr)
leihen Sie

leihen

Beispiele und Wendungen

Mein Vater leiht mir manchmal sein Auto.
Um das Haus kaufen zu können, musste er sich Geld von der Bank leihen.

jmdm. Geld leihen	*jmdm. für eine Zeit Geld überlassen*
sich von jmdm. Geld leihen	*jmdn. bitten, einem für eine gewisse Zeit etwas Geld zu überlassen*
Kann ich mir den Stift leihen?	*Kann ich kurz den Stift benutzen?*

Weitere Verben

aus•leihen – entleihen – gedeihen – verleihen – verzeihen

ein Buch ausleihen	*ein Buch aus der Bibliothek holen*
eine DVD ausleihen	*eine DVD in der Videothek mieten*
Das Buch ist entliehen.	*Das Buch ist weg, da es jemand für eine Zeit mitgenommen hat.*
Die Blumen gedeihen hier gut.	*Die Blumen wachsen hier gut.*
jmdm. einen Preis verleihen	*jmd. für etwas auszeichnen*
jmdm. einen Titel verleihen	*jmdm. einen Titel (Dr. o.ä.) geben*
jmdm. etwas verzeihen	*etwas Schlechtes entschuldigen*
Verzeihen Sie, wo ist bitte ...	*Entschuldigung, wo ist bitte ...*

Tipp

Sammeln Sie Wörter einer Wortfamilie und versuchen Sie dann, möglichst viele in einen Satz zu packen. Diese Sätze werden natürlich sehr albern – sie können aber auch viel Spaß machen.

z. B. Ich lieh mir einen Leihwagen, um in der Leihbibliothek ein Buch über Leihmütter auszuleihen, doch leider war es bereits entliehen.
Schaffen Sie mehr als sechs? Nur zu! Viel Spaß!

Eigene Notizen:

55 **lesen**

lesen – las – gelesen

Stammvokalwechsel **e – a – e**
Vokalwechsel im Präsens (siehe S. 13) / **s**-Ausfall
(siehe S. 45) / **e**-Einschub (siehe S. 44)

Indikativ

Präsens	Perfekt	Futur I
ich lese	ich habe gelesen	ich werde lesen
du liest	du hast gelesen	du wirst lesen
er liest	er hat gelesen	er wird lesen
wir lesen	wir haben gelesen	wir werden lesen
ihr lest	ihr habt gelesen	ihr werdet lesen
sie lesen	sie haben gelesen	sie werden lesen

Präteritum	Plusquamperfekt	Futur II
ich las	ich hatte gelesen	ich werde gelesen haben
du lasest	du hattest gelesen	du wirst gelesen haben
er las	er hatte gelesen	er wird gelesen haben
wir lasen	wir hatten gelesen	wir werden gelesen haben
ihr las(e)t	ihr hattet gelesen	ihr werdet gelesen haben
sie lasen	sie hatten gelesen	sie werden gelesen haben

Konjunktiv

Präsens	Perfekt	Futur I
ich lese	ich habe gelesen	ich werde lesen
du lesest	du habest gelesen	du werdest lesen
er lese	er habe gelesen	er werde lesen
wir lesen	wir haben gelesen	wir werden lesen
ihr leset	ihr habet gelesen	ihr werdet lesen
sie lesen	sie haben gelesen	sie werden lesen

Präteritum	Plusquamperfekt	Futur II
ich läse	ich hätte gelesen	ich werde gelesen haben
du läsest	du hättest gelesen	du werdest gelesen haben
er läse	er hätte gelesen	er werde gelesen haben
wir läsen	wir hätten gelesen	wir werden gelesen haben
ihr läset	ihr hättet gelesen	ihr werdet gelesen haben
sie läsen	sie hätten gelesen	sie werden gelesen haben

Infinitiv

Präsens

lesen

Perfekt

gelesen haben

Partizip

Partizip I

lesend

Partizip II

gelesen

Imperativ

lies (du)
lesen wir
lest (ihr)
lesen Sie

Beispiele und Wendungen

Jutta liest gerne.
Hast du heute schon die Zeitung gelesen?

lesen können	*Schrift verstehen können*
etwas gründlich lesen	*einen Text sehr genau durchgehen*
Der Autor liest aus seinem Buch.	*Der Autor trägt aus seinem Buch vor.*
etwas in der Zeitung gelesen haben	*eine Information aus der Zeitung haben*
zwischen den Zeilen lesen	*Informationen im Text finden, die nicht wörtlich da sind*
Der Automat liest die Karte.	*Der Automat entschlüsselt Daten auf einer Speicherkarte.*
Der Computer liest die Daten.	*Der Computer nimmt die Daten auf.*
Das Buch liest sich leicht.	*Das Buch ist einfach zu verstehen.*
Ich kann deine Gedanken lesen.	*Ich weiß, was du denkst.*

Weitere Verben

ab•lesen – durch•lesen – überlesen

ein Thermometer ablesen	*die Temperatur bestimmen*
einen Text ablesen	*einen Text vom Blatt laut vorlesen*
einen Text durchlesen	*einem Text vollständig lesen*
Das habe ich wohl überlesen.	*Diese Information habe ich wohl beim Lesen übersehen.*

Besonderheiten

Das Verb **lesen** hat in allen Formen lange Vokale. Verwechseln Sie es nie mit *lassen* – hier folgt nach einem kurzen Vokal ein Doppel-s.

z. B. wir lasen (lesen – Präteritum, 1. Person Plural)

wir lassen (lassen – Präsens, 1. Person Plural)

Eigene Notizen:

liegen – lag – gelegen

Indikativ

Präsens

ich	liege
du	liegst
er	liegt
wir	liegen
ihr	liegt
sie	liegen

Perfekt*

ich	habe	gelegen
du	hast	gelegen
er	hat	gelegen
wir	haben	gelegen
ihr	habt	gelegen
sie	haben	gelegen

Futur I

ich	werde	liegen
du	wirst	liegen
er	wird	liegen
wir	werden	liegen
ihr	werdet	liegen
sie	werden	liegen

Präteritum

ich	lag
du	lagst
er	lag
wir	lagen
ihr	lagt
sie	lagen

Plusquamperfekt

ich	hatte	gelegen
du	hattest	gelegen
er	hatte	gelegen
wir	hatten	gelegen
ihr	hattet	gelegen
sie	hatten	gelegen

Futur II

ich	werde	gelegen haben
du	wirst	gelegen haben
er	wird	gelegen haben
wir	werden	gelegen haben
ihr	werdet	gelegen haben
sie	werden	gelegen haben

Konjunktiv

Präsens

ich	liege
du	liegest
er	liege
wir	liegen
ihr	lieget
sie	liegen

Perfekt

ich	habe	gelegen
du	habest	gelegen
er	habe	gelegen
wir	haben	gelegen
ihr	habet	gelegen
sie	haben	gelegen

Futur I

ich	werde	liegen
du	werdest	liegen
er	werde	liegen
wir	werden	liegen
ihr	werdet	liegen
sie	werden	liegen

Präteritum

ich	läge
du	lägest
er	läge
wir	lägen
ihr	läget
sie	lägen

Plusquamperfekt

ich	hätte	gelegen
du	hättest	gelegen
er	hätte	gelegen
wir	hätten	gelegen
ihr	hättet	gelegen
sie	hätten	gelegen

Futur II

ich	werde	gelegen haben
du	werdest	gelegen haben
er	werde	gelegen haben
wir	werden	gelegen haben
ihr	werdet	gelegen haben
sie	werden	gelegen haben

Infinitiv

Präsens

liegen

Perfekt

gelegen haben/sein*

Partizip

Partizip I

liegend

Partizip II

gelegen

Imperativ

lieg(e) (du)
liegen wir
liegt (ihr)
liegen Sie

* in Süddeutschland auch
mit *sein* konjugiert

Beispiele und Wendungen

Das Buch liegt auf dem Tisch.
Maria liegt im Urlaub gerne am Strand.
Ob wir zum See fahren können, liegt am Wetter.

im Bett liegen	*sich im Bett befinden*
in Bayern liegen	*sich (geografisch) in Bayern befinden*
München liegt an der Isar.	*München ist am Ufer des Flusses Isar.*
Im Winter liegt hier Schnee.	*Im Winter ist hier eine Schneeschicht.*
im Krankenhaus liegen	*zur Behandlung im Krankenhaus sein*
im Koma liegen	*sich im Koma befinden*
in Trümmern liegen	*zerstört sein*
Physik liegt mir nicht.	*Ich habe keine Begabung für Physik.*
Das liegt an den hohen Kosten.	*Der Grund dafür sind die hohen Kosten.*
Das liegt an Stefan.	*Stefan ist schuld / verantwortlich dafür.*
Das liegt bei dir.	*Das kannst du frei entscheiden.*

Besonderheiten

Normalerweise bildet man die zusammengesetzten Zeiten von **liegen** mit dem Hilfsverb **haben**, in Süddeutschland, Österreich und der Schweiz meist mit **sein**.

z. B. Er <u>hat</u> auf dem Boden gelegen. (allgemein)
      Er <u>ist</u> auf dem Boden gelegen. (süddeutsch)

Tipp

Vor allem im Perfekt kann man die Formen von **liegen** leicht mit den Formen von *legen* (regelmäßig, → Nr. 4) verwechseln.

z. B. er hat gelegt   er hat etwas positioniert (Aktion)
      er hat gelegen   er befand sich in einer wagerechten Position (Zustand)

Eigene Notizen:

57 **lügen**

Stammvokalwechsel **ü - o - o**

lügen - log - gelogen

Indikativ

Präsens
ich lüge
du lügst
er lügt
wir lügen
ihr lügt
sie lügen

Perfekt
ich habe gelogen
du hast gelogen
er hat gelogen
wir haben gelogen
ihr habt gelogen
sie haben gelogen

Futur I
ich werde lügen
du wirst lügen
er wird lügen
wir werden lügen
ihr werdet lügen
sie werden lügen

Präteritum
ich log
du logst
er log
wir logen
ihr logt
sie logen

Plusquamperfekt
ich hatte gelogen
du hattest gelogen
er hatte gelogen
wir hatten gelogen
ihr hattet gelogen
sie hatten gelogen

Futur II
ich werde gelogen haben
du wirst gelogen haben
er wird gelogen haben
wir werden gelogen haben
ihr werdet gelogen haben
sie werden gelogen haben

Konjunktiv

Präsens
ich lüge
du lügest
er lüge
wir lügen
ihr lüget
sie lügen

Perfekt
ich habe gelogen
du habest gelogen
er habe gelogen
wir haben gelogen
ihr habet gelogen
sie haben gelogen

Futur I
ich werde lügen
du werdest lügen
er werde lügen
wir werden lügen
ihr werdet lügen
sie werden lügen

Präteritum
ich löge
du lögest
er löge
wir lögen
ihr löget
sie lögen

Plusquamperfekt
ich hätte gelogen
du hättest gelogen
er hätte gelogen
wir hätten gelogen
ihr hättet gelogen
sie hätten gelogen

Futur II
ich werde gelogen haben
du werdest gelogen haben
er werde gelogen haben
wir werden gelogen haben
ihr werdet gelogen haben
sie werden gelogen haben

Infinitiv

Präsens
lügen

Perfekt
gelogen haben

Partizip

Partizip I
lügend

Partizip II
gelogen

Imperativ

lüg(e) (du)
lügen wir
lügt (ihr)
lügen Sie

Beispiele und Wendungen

Glaub ihr nicht, sie lügt!
Er hat gelogen, als er dir sagte, er sei nicht verheiratet.

etwas ist gelogen	*etwas ist nicht wahr*
jmdm. ins Gesicht lügen	*jmdm. persönlich Unwahres sagen*
jmd. lügt wie gedruckt	*jmd. lügt sehr viel*
jmd. lügt, dass sich die Balken biegen	*jmd. sagt spektakuläre Unwahrheiten*

Weitere Verben

belügen – betrügen – trügen

Warum belügst du mich?	*Warum sagst du mir die Unwahrheit?*
sich selbst belügen	*die Wahrheit nicht sehen wollen*
Sie betrügt ihren Mann.	*Sie ist ihm untreu.*
Der Schein trügt.	*Etwas ist nicht so, wie es aussieht.*

Tipp

Üben Sie belügen und betrügen – natürlich nicht wirklich, sondern mit einem kleinen Würfelspiel!
Würfeln Sie zuerst einmal für das Subjekt – z. B. 2 (→ du). Dann würfeln Sie ein zweites Mal für die Zeit – z. B. 6 (→ Futur), und schließlich nochmal für das Objekt – z. B. 4 (→ wir).
Bilden Sie dann einen Satz, der sagt, wer wen wann belügt oder betrügt.

z. B. 2 + 6 + 4 = Du wirst uns belügen.
    3 + 1 + 2 = Thomas belügt dich.
    6 + 3 + 4 = Unsere Lehrer haben uns belogen.
Die Personen können Sie austauschen – und natürlich auch die Verben. Achten Sie aber immer darauf, für das Objekt den richtigen Kasus zu verwenden!

 ich Präsens
 wir Plusquamperfekt
 du Präteritum
 ihr Konditional I
 Thomas Perfekt
 unsere Lehrer Futur

Eigene Notizen:

58 **messen**

messen – maß – gemessen

Indikativ

Präsens

ich messe
du misst
er misst
wir messen
ihr messt
sie messen

Perfekt

ich habe gemessen
du hast gemessen
er hat gemessen
wir haben gemessen
ihr habt gemessen
sie haben gemessen

Futur I

ich werde messen
du wirst messen
er wird messen
wir werden messen
ihr werdet messen
sie werden messen

Präteritum

ich maß
du maßest
er maß
wir maßen
ihr maß(e)t
sie maßen

Plusquamperfekt

ich hatte gemessen
du hattest gemessen
er hatte gemessen
wir hatten gemessen
ihr hattet gemessen
sie hatten gemessen

Futur II

ich werde gemessen haben
du wirst gemessen haben
er wird gemessen haben
wir werden gemessen haben
ihr werdet gemessen haben
sie werden gemessen haben

Konjunktiv

Präsens

ich messe
du messest
er messe
wir messen
ihr messet
sie messen

Perfekt

ich habe gemessen
du habest gemessen
er habe gemessen
wir haben gemessen
ihr habet gemessen
sie haben gemessen

Futur I

ich werde messen
du werdest messen
er werde messen
wir werden messen
ihr werdet messen
sie werden messen

Präteritum

ich mäße
du mäßest
er mäße
wir mäßen
ihr mäßet
sie mäßen

Plusquamperfekt

ich hätte gemessen
du hättest gemessen
er hätte gemessen
wir hätten gemessen
ihr hättet gemessen
sie hätten gemessen

Futur II

ich werde gemessen haben
du werdest gemessen haben
er werde gemessen haben
wir werden gemessen haben
ihr werdet gemessen haben
sie werden gemessen haben

Infinitiv

Präsens

messen

Perfekt

gemessen haben

Partizip

Partizip I

messend

Partizip II

gemessen

Imperativ

miss (du)
messen wir
messt (ihr)
messen Sie

Beispiele und Wendungen

Ein Thermometer misst die Temperatur.
Diese Fabrikhalle misst im Ganzen 2.000 Quadratmeter.

Fieber messen	*die Körpertemperatur bestimmen*
die Geschwindigkeit messen	*die Geschwindigkeit bestimmen*
die Temperatur messen	*prüfen, wie warm / kalt etwas ist*
sich mit jmdm. messen	*mit jmdm. in Wettbewerb treten*
Das Kind misst 1,40 Meter.	*Das Kind ist 1,40 Meter groß.*

Weitere Verben

essen – fressen – vergessen

Ich esse gerne Kuchen.	*Ich mag Kuchen gerne.*
Wir essen immer um 12 Uhr.	*Bei uns gibt es um 12 Uhr Mittagessen.*
Die Kuh frisst Heu.	*Die Kuh ernährt sich von Heu.*
etwas im Bus vergessen	*etwas im Bus liegenlassen*
einen Termin vergessen	*einen Termin verpassen*
Man darf nicht vergessen, dass ...	*Man muss daran denken, dass ...*
Vergiss es!	*Das kommt nicht in Frage!*

Besonderheiten

Denken Sie daran, dass bei **essen** im Partizip ein **g** eingefügt wird:

z. B. Er hat den ganzen Kuchen alleine ge**g**essen.

Das Verb **fressen** wird in der Standardsprache nur für Tiere benutzt. Wenn es jemand für Menschen verwendet, dann klingt es vulgär und drückt die Ablehnung oder den Ärger des Sprechers aus.

z. B. Er hat den ganzen Kuchen alleine gefressen!

Eigene Notizen:

Indikativ

Präsens	Perfekt	Futur I
ich mag	ich habe gemocht	ich werde mögen
du magst	du hast gemocht	du wirst mögen
er mag	er hat gemocht	er wird mögen
wir mögen	wir haben gemocht	wir werden mögen
ihr mögt	ihr habt gemocht	ihr werdet mögen
sie mögen	sie haben gemocht	sie werden mögen

Präteritum	Plusquamperfekt	Futur II
ich mochte	ich hatte gemocht	ich werde gemocht haben
du mochtest	du hattest gemocht	du wirst gemocht haben
er mochte	er hatte gemocht	er wird gemocht haben
wir mochten	wir hatten gemocht	wir werden gemocht haben
ihr mochtet	ihr hattet gemocht	ihr werdet gemocht haben
sie mochten	sie hatten gemocht	sie werden gemocht haben

Konjunktiv

Präsens	Perfekt	Futur I
ich möge	ich habe gemocht	ich werde mögen
du mögest	du habest gemocht	du werdest mögen
er möge	er habe gemocht	er werde mögen
wir mögen	wir haben gemocht	wir werden mögen
ihr möget	ihr habet gemocht	ihr werdet mögen
sie mögen	sie haben gemocht	sie werden mögen

Präteritum	Plusquamperfekt	Futur II
ich möchte	ich hätte gemocht	ich werde gemocht haben
du möchtest	du hättest gemocht	du werdest gemocht haben
er möchte	er hätte gemocht	er werde gemocht haben
wir möchten	wir hätten gemocht	wir werden gemocht haben
ihr möchtet	ihr hättet gemocht	ihr werdet gemocht haben
sie möchten	sie hätten gemocht	sie werden gemocht haben

Infinitiv

Präsens

mögen

Perfekt

gemocht haben

Partizip

Partizip I

mögend

Partizip II

gemocht

Imperativ*

mögest (du)	+ Infinitiv
mögen wir	+ Infinitiv
mög(e)t (ihr)	+ Infinitiv
mögen (Sie)	+ Infinitiv

* gehobene Sprache

Beispiele und Wendungen

Jan mochte Julia schon immer.
Katharina mag klassische Musik.

jmdn. (gern) mögen	*Zuneigung zu jmdm. empfinden*
etwas (gern) mögen	*eine Vorliebe für etwas haben*
etwas gar nicht mögen	*etwas nicht leiden können*
Was möchtest du?	*Was hättest du gern?*
Ich mag nicht mehr.	*Ich will nicht mehr weitermachen.*
Sie mag jetzt gehen.	*Sie will jetzt gehen.*
Ich möchte das Museum sehen.	*Ich würde gern das Museum sehen.*
Was mag da wohl passiert sein?	*Ich frage mich, was da wohl passiert ist.*
Das mag schon sein, aber ...	*Das könnte sein, aber ...*

Weitere Verben

vermögen

Das vermochte ihm nicht zu helfen.	*Das konnte ihm nicht helfen.*

Besonderheiten

Steht im Satz neben **mögen** ein zweites Verb, so wird in Perfekt und Plusquamperfekt die Form *mögen* statt Partizip II verwendet. In dieser Funktion drückt es einen Wunsch oder ein Bedürfnis aus, der als etwas schwächer oder höflicher als mit *will* empfunden wird. Die Form, die dafür verwendet wird, ist der Konjunktiv II.
z. B. Die Gäste <u>möchten</u> später noch Kaffee trinken.

Wenn im Satz kein zweites Verb neben **mögen** verwendet wird, benötigt man für die zusammengesetzten Zeiten die Form *gemocht*.
z. B. Sie hat Rosen sehr <u>gemocht</u>.

Eigene Notizen:

müssen – musste – gemusst

Indikativ

Präsens	Perfekt	Futur I
ich muss	ich habe gemusst	ich werde müssen
du musst	du hast gemusst	du wirst müssen
er muss	er hat gemusst	er wird müssen
wir müssen	wir haben gemusst	wir werden müssen
ihr müsst	ihr habt gemusst	ihr werdet müssen
sie müssen	sie haben gemusst	sie werden müssen

Präteritum	Plusquamperfekt	Futur II
ich musste	ich hatte gemusst	ich werde gemusst haben
du musstest	du hattest gemusst	du wirst gemusst haben
er musste	er hatte gemusst	er wird gemusst haben
wir mussten	wir hatten gemusst	wir werden gemusst haben
ihr musstet	ihr hattet gemusst	ihr werdet gemusst haben
sie mussten	sie hatten gemusst	sie werden gemusst haben

Konjunktiv

Präsens	Perfekt	Futur I
ich müsse	ich habe gemusst	ich werde müssen
du müssest	du habest gemusst	du werdest müssen
er müsse	er habe gemusst	er werde müssen
wir müssen	wir haben gemusst	wir werden müssen
ihr müsset	ihr habet gemusst	ihr werdet müssen
sie müssen	sie haben gemusst	sie werden müssen

Präteritum	Plusquamperfekt	Futur II
ich müsste	ich hätte gemusst	ich werde gemusst haben
du müsstest	du hättest gemusst	du werdest gemusst haben
er müsste	er hätte gemusst	er werde gemusst haben
wir müssten	wir hätten gemusst	wir werden gemusst haben
ihr müsstet	ihr hättet gemusst	ihr werdet gemusst haben
sie müssten	sie hätten gemusst	sie werden gemusst haben

Infinitiv

Präsens

müssen

Perfekt

gemusst haben

Partizip

Partizip I

müssend

Partizip II

gemusst

Imperativ

—
—
—
—

Beispiele und Wendungen

Der Brief muss zur Post.
Alle Kinder müssen in die Schule gehen.

etwas tun müssen	*gezwungen sein, etwas zu tun*
Ich musste lachen.	*Ich konnte nicht vermeiden zu lachen.*
Hier muss man Eintritt zahlen.	*Hier wird ein Eintrittsgeld verlangt.*
Das muss heute noch fertig werden.	*Es ist nötig, dass das heute noch fertig wird.*
Das müsste reichen.	*Das sollte ausreichen.*
So müsste es sein.	*Es wäre schön, wenn es so wäre.*
Man muss die Suppe umrühren.	*Es ist nötig, die Suppe umzurühren.*
Das musste ich einfach sehen.	*Das wollte ich unbedingt sehen.*
Ich muss mal.	*Ich muss zur Toilette gehen.*

Besonderheiten

müssen steht im Satz häufig gemeinsam mit einem anderen Verb. Meist drückt es dann einen Zwang oder eine Notwendigkeit aus. Wenn *müssen* alleine steht, benutzt man in den zusammengesetzten Zeiten *gemusst* anstelle von *müssen*. (vgl. z. B. dürfen → 28)

müssen kann auch eine Vermutung ausdrücken. Wenn sich die Vermutung auf die Vergangenheit oder Gegenwart bezieht, benutzt man meistens die Form *muss*. Die Form *müsste* verwendet man für eine Vermutung darüber, was in der Zukunft passieren wird, oder wenn man ausdrücken will, dass eine Vermutung etwas unsicherer ist.

z. B. Das <u>muss</u> jetzt 10 Jahre her <u>sein</u>.   → einigermaßen sichere Vermutung
      Das <u>müsste</u> 1997 <u>gewesen sein</u>.   → etwas unsicherere Vermutung
      Morgen <u>müsste</u> ich Zeit <u>haben</u>.   → Vermutung über Zukünftiges

Eigene Notizen:

61 **nehmen**

nehmen – nahm – genommen

Stammvokalwechsel **e - a - o**
Vokalwechsel im Präsens mit Konsonantendopplung (siehe S. 13)

Indikativ

Präsens	Perfekt		Futur I	
ich nehme	ich habe	genommen	ich werde	nehmen
du nimmst	du hast	genommen	du wirst	nehmen
er nimmt	er hat	genommen	er wird	nehmen
wir nehmen	wir haben	genommen	wir werden	nehmen
ihr nehmt	ihr habt	genommen	ihr werdet	nehmen
sie nehmen	sie haben	genommen	sie werden	nehmen

Präteritum	Plusquamperfekt		Futur II	
ich nahm	ich hatte	genommen	ich werde	genommen haben
du nahmst	du hattest	genommen	du wirst	genommen haben
er nahm	er hatte	genommen	er wird	genommen haben
wir nahmen	wir hatten	genommen	wir werden	genommen haben
ihr nahmt	ihr hattet	genommen	ihr werdet	genommen haben
sie nahmen	sie hatten	genommen	sie werden	genommen haben

Konjunktiv

Präsens	Perfekt		Futur I	
ich nehme	ich habe	genommen	ich werde	nehmen
du nehmest	du habest	genommen	du werdest	nehmen
er nehme	er habe	genommen	er werde	nehmen
wir nehmen	wir haben	genommen	wir werden	nehmen
ihr nehmet	ihr habet	genommen	ihr werdet	nehmen
sie nehmen	sie haben	genommen	sie werden	nehmen

Präteritum	Plusquamperfekt		Futur II	
ich nähme	ich hätte	genommen	ich werde	genommen haben
du nähm(e)st	du hättest	genommen	du werdest	genommen haben
er nähme	er hätte	genommen	er werde	genommen haben
wir nähmen	wir hätten	genommen	wir werden	genommen haben
ihr nähm(e)t	ihr hättet	genommen	ihr werdet	genommen haben
sie nähmen	sie hätten	genommen	sie werden	genommen haben

Infinitiv

Präsens

nehmen

Perfekt

genommen haben

Partizip

Partizip I

nehmend

Partizip II

genommen

Imperativ

nimm (du)
nehmen wir
nehmt (ihr)
nehmen Sie

Beispiele und Wendungen

Ich nehme das Wiener Schnitzel mit Salat.
Er nahm eine Schmerztablette und fühlte sich bald besser.
Wenn du die Tasche nimmst, kann ich die zwei Koffer tragen.

etwas in die Hand nehmen	*etwas ergreifen und halten*
den Zug nehmen	*mit der Bahn fahren*
etwas ernst nehmen	*etwas als wichtig behandeln*
sich Urlaub nehmen	*nicht zur Arbeit gehen*
eine Tablette nehmen	*eine Tablette schlucken*
die Schuld auf sich nehmen	*zugeben, an etwas schuldig zu sein*
Nimm dir noch ein Stück Kuchen!	*Greif zu, iss noch ein Stück Kuchen!*
jmdn. zur Frau nehmen	*eine Frau heiraten*
sich das Leben nehmen	*sich selbst töten*

Weitere Verben

ab•nehmen – an•nehmen – auf•nehmen – sich benehmen – teil•nehmen

15 Kilo abnehmen	*15 Kilo Gewicht verlieren*
ein Angebot annehmen	*ein Angebot akzeptieren*
etwas vom Boden aufnehmen	*etwas vom Boden aufheben*
eine TV-Sendung aufnehmen	*eine Sendung auf Video aufzeichnen*
sich schlecht benehmen	*sich unangemessen verhalten*
an einem Test teilnehmen	*bei einem Test mitmachen*

Tipp

Erweitern Sie schnell Ihren Wortschatz, indem Sie Verben immer gleich mit dem Gegenteil, z. B. *nehmen ≠ geben, abnehmen ≠ zunehmen,* oder mit einem Synonym lernen, z. B. *nehmen = ergreifen, aufnehmen = aufzeichnen.*

Eigene Notizen:

Indikativ

Präsens	Perfekt		Futur I	
ich preise	ich habe	gepriesen	ich werde	preisen
du preist	du hast	gepriesen	du wirst	preisen
er preist	er hat	gepriesen	er wird	preisen
wir preisen	wir haben	gepriesen	wir werden	preisen
ihr preist	ihr habt	gepriesen	ihr werdet	preisen
sie preisen	sie haben	gepriesen	sie werden	preisen

Präteritum	Plusquamperfekt		Futur II	
ich pries	ich hatte	gepriesen	ich werde	gepriesen haben
du priesest	du hattest	gepriesen	du wirst	gepriesen haben
er pries	er hatte	gepriesen	er wird	gepriesen haben
wir priesen	wir hatten	gepriesen	wir werden	gepriesen haben
ihr pries(e)t	ihr hattet	gepriesen	ihr werdet	gepriesen haben
sie priesen	sie hatten	gepriesen	sie werden	gepriesen haben

Konjunktiv

Präsens	Perfekt		Futur I	
ich preise	ich habe	gepriesen	ich werde	preisen
du preisest	du habest	gepriesen	du werdest	preisen
er preise	er habe	gepriesen	er werde	preisen
wir preisen	wir haben	gepriesen	wir werden	preisen
ihr preiset	ihr habet	gepriesen	ihr werdet	preisen
sie preisen	sie haben	gepriesen	sie werden	preisen

Präteritum	Plusquamperfekt		Futur II	
ich priese	ich hätte	gepriesen	ich werde	gepriesen haben
du priesest	du hättest	gepriesen	du werdest	gepriesen haben
er priese	er hätte	gepriesen	er werde	gepriesen haben
wir priesen	wir hätten	gepriesen	wir werden	gepriesen haben
ihr prieset	ihr hättet	gepriesen	ihr werdet	gepriesen haben
sie priesen	sie hätten	gepriesen	sie werden	gepriesen haben

Infinitiv	Partizip	Imperativ
Präsens	**Partizip I**	preis(e) (du)
preisen	preisend	preisen wir
		preist (ihr)
Perfekt	**Partizip II**	preisen Sie
gepriesen haben	gepriesen	

Beispiele und Wendungen

Der Koch wird überall für seine Fischsuppe gepriesen.
Die meisten Kunden preisen unseren hervorragenden Service.

ein Hotel für den Service preisen   *ein Hotel für den Service loben*

Weitere Verben

beweisen – hin•weisen – nach•weisen – überweisen – verweisen

seine Unschuld beweisen	*mit Tatsachen belegen, dass man unschuldig ist*
auf ein Verbot hinweisen	*jmdm. sagen, dass es ein Verbot gibt*
jmdm. eine Tat nachweisen	*zeigen, dass jmd. etwas getan hat*
Geld überweisen	*Geld auf ein Konto transferieren*
auf ein Buch verweisen	*ein Buch als Beleg für etwas nennen*

Besonderheiten

Das Verb **preisen** gehört in die gehobene Sprache und wird umgangs-sprachlich relativ selten gebraucht. Ein modernerer Ausdruck ist u.a. loben.

z. B. Der Schüler wurde für seine guten Noten gelobt.

Tipp

Viele Wörter auf **-weisen** bilden Nomen, indem das **-en** des Infinitivs wegfällt,

z. B.	beweisen	– der Beweis	hinweisen	– der Hinweis
	nachweisen	– der Nachweis	verweisen	– der Verweis

überweisen bildet aber ein Nomen auf **-ung**:
überweisen   – die Überweisung

Eigene Notizen:

63 **raten**

raten – riet – geraten

Stammvokalwechsel **a – ie – a**
Vokalwechsel im Präsens (siehe S. 13) / **e**-Einschub
(siehe S. 45)

Indikativ

Präsens	Perfekt	Futur I
ich rate	ich habe geraten	ich werde raten
du rätst	du hast geraten	du wirst raten
er rät	er hat geraten	er wird raten
wir raten	wir haben geraten	wir werden raten
ihr ratet	ihr habt geraten	ihr werdet raten
sie raten	sie haben geraten	sie werden raten

Präteritum	Plusquamperfekt	Futur II
ich riet	ich hatte geraten	ich werde geraten haben
du riet(e)st	du hattest geraten	du wirst geraten haben
er riet	er hatte geraten	er wird geraten haben
wir rieten	wir hatten geraten	wir werden geraten haben
ihr rietet	ihr hattet geraten	ihr werdet geraten haben
sie rieten	sie hatten geraten	sie werden geraten haben

Konjunktiv

Präsens	Perfekt	Futur I
ich rate	ich habe geraten	ich werde raten
du ratest	du habest geraten	du werdest raten
er rate	er habe geraten	er werde raten
wir raten	wir haben geraten	wir werden raten
ihr ratet	ihr habet geraten	ihr werdet raten
sie raten	sie haben geraten	sie werden raten

Präteritum	Plusquamperfekt	Futur II
ich riete	ich hätte geraten	ich werde geraten haben
du rietest	du hättest geraten	du werdest geraten haben
er riete	er hätte geraten	er werde geraten haben
wir rieten	wir hätten geraten	wir werden geraten haben
ihr rietet	ihr hättet geraten	ihr werdet geraten haben
sie rieten	sie hätten geraten	sie werden geraten haben

Infinitiv	Partizip	Imperativ
Präsens	**Partizip I**	rat(e) (du)
raten	ratend	raten wir
		ratet (ihr)
Perfekt	**Partizip II**	raten Sie
geraten haben	geraten	

Beispiele und Wendungen

Ich rate dir, das nicht zu tun.
Wenn du die Lösung nicht weißt, kannst du nur raten.

jmdm. raten, etwas zu tun	*jmdm. empfehlen, etwas zu tun*
Rate mal!	*Sag eine Vermutung!*
Richtig geraten!	*Deine Vermutung stimmt!*

Weitere Verben

ab•raten – beraten – braten – erraten – geraten – verraten

Davon kann ich nur abraten.	*Ich empfehle sehr, das nicht zu tun.*
jmdn. beraten	*jmdm. bei einer Entscheidung helfen*
Steaks braten	*Steaks in der Pfanne zubereiten*
Der Kuchen ist gut geraten.	*Der Kuchen ist gut geworden.*
die Lösung erraten	*die richtige Lösung bei etwas vermuten*
Sein Auto ist ins Schleudern geraten.	*Sein Auto ließ sich nicht mehr steuern.*
jmdm. ein Geheimnis verraten	*jmdm. etwas Geheimes erzählen*

Tipp

Bei **raten** wechselt zwar der Stammvokal – er bleibt aber immer lang. Sprechen Sie beim Lernen die Formen für Präsens, Präteritum und das Partizip laut aus und achten Sie darauf, den Vokal deutlich lang auszusprechen.

z. B. ich r**a**te   ich r**ie**t   ich habe ger**a**ten

Wenn Sie daran denken, können Sie eine Verwechslung mit dem Verb *reiten* im Präteritum vermeiden.

wir ritten   → von **reiten**; kurzes **i,** sichtbar durch das doppelte *t;*
wir rieten   → von **raten**; langes **i**, sichtbar durch Schreibung als *ie;*

Eigene Notizen:

riechen – roch – gerochen

Indikativ

Präsens	Perfekt	Futur I
ich rieche	ich habe gerochen	ich werde riechen
du riechst	du hast gerochen	du wirst riechen
er riecht	er hat gerochen	er wird riechen
wir riechen	wir haben gerochen	wir werden riechen
ihr riecht	ihr habt gerochen	ihr werdet riechen
sie riechen	sie haben gerochen	sie werden riechen

Präteritum	Plusquamperfekt	Futur II
ich roch	ich hatte gerochen	ich werde gerochen haben
du rochst	du hattest gerochen	du wirst gerochen haben
er roch	er hatte gerochen	er wird gerochen haben
wir rochen	wir hatten gerochen	wir werden gerochen haben
ihr roch(e)t	ihr hattet gerochen	ihr werdet gerochen haben
sie rochen	sie hatten gerochen	sie werden gerochen haben

Konjunktiv

Präsens	Perfekt	Futur I
ich rieche	ich habe gerochen	ich werde riechen
du riechest	du habest gerochen	du werdest riechen
er rieche	er habe gerochen	er werde riechen
wir riechen	wir haben gerochen	wir werden riechen
ihr riechet	ihr habet gerochen	ihr werdet riechen
sie riechen	sie haben gerochen	sie werden riechen

Präteritum	Plusquamperfekt	Futur II
ich röche	ich hätte gerochen	ich werde gerochen haben
du röchest	du hättest gerochen	du werdest gerochen haben
er röche	er hätte gerochen	er werde gerochen haben
wir röchen	wir hätten gerochen	wir werden gerochen haben
ihr röchet	ihr hättet gerochen	ihr werdet gerochen haben
sie röchen	sie hätten gerochen	sie werden gerochen haben

Infinitiv	Partizip	Imperativ
Präsens	**Partizip I**	riech(e) (du)
riechen	riechend	riechen wir
		riecht (ihr)
Perfekt	**Partizip II**	riechen Sie
gerochen haben	gerochen	

Beispiele und Wendungen

Die Suppe riecht hervorragend.
Hier riecht es heute aber unangenehm!
Ich habe sofort gerochen, dass es irgendwo brannte.

etwas riechen	*etwas mit der Nase wahrnehmen*
nach Blumen riechen	*im Geruch an Blumen erinnern*
Das Essen riecht aber gut.	*Das Essen duftet lecker.*
Das riecht nach Erpressung.	*Das kommt einem wie Erpressung vor.*
Ich kann ihn nicht riechen.	*Ich mag ihn überhaupt nicht.*

Weitere Verben

kriechen – sich verkriechen

über den Boden kriechen	*sich flach über den Boden bewegen*
unter die Decke kriechen	*unter eine Decke schlüpfen*
Die Schlange kriecht davon.	*Die Schlange bewegt sich weg.*
Der Verkehr kriecht.	*Der Verkehr bewegt sich langsam.*
jmd. verkriecht sich im Haus	*jmd. hält sich im Haus versteckt*

Besonderheiten

riechen kann die Fähigkeit ausdrücken, einen Geruch mit der Nase wahrzunehmen, aber auch die Tatsache, dass etwas oder jemand einen Geruch erzeugt oder von sich gibt. Manchmal kann man nicht feststellen, wer oder was einen Geruch verursacht. Hier kann man **riechen** dann auch unpersönlich mit **es** verwenden.

z. B. Sie roch sofort den frischen Kaffee. → aktive Wahrnehmung
Der Käse roch sehr streng. → Abgabe eines Geruchs
Es roch nach frischem Brot. → unpersönlich

Eigene Notizen:

rufen – rief – gerufen

Indikativ

Präsens	Perfekt	Futur I
ich rufe	ich habe gerufen	ich werde rufen
du rufst	du hast gerufen	du wirst rufen
er ruft	er hat gerufen	er wird rufen
wir rufen	wir haben gerufen	wir werden rufen
ihr ruft	ihr habt gerufen	ihr werdet rufen
sie rufen	sie haben gerufen	sie werden rufen

Präteritum	Plusquamperfekt	Futur II
ich rief	ich hatte gerufen	ich werde gerufen haben
du riefst	du hattest gerufen	du wirst gerufen haben
er rief	er hatte gerufen	er wird gerufen haben
wir riefen	wir hatten gerufen	wir werden gerufen haben
ihr rieft	ihr hattet gerufen	ihr werdet gerufen haben
sie riefen	sie hatten gerufen	sie werden gerufen haben

Konjunktiv

Präsens	Perfekt	Futur I
ich rufe	ich habe gerufen	ich werde rufen
du rufest	du habest gerufen	du werdest rufen
er rufe	er habe gerufen	er werde rufen
wir rufen	wir haben gerufen	wir werden rufen
ihr rufet	ihr habet gerufen	ihr werdet rufen
sie rufen	sie haben gerufen	sie werden rufen

Präteritum	Plusquamperfekt	Futur II
ich riefe	ich hätte gerufen	ich werde gerufen haben
du riefest	du hättest gerufen	du werdest gerufen haben
er riefe	er hätte gerufen	er werde gerufen haben
wir riefen	wir hätten gerufen	wir werden gerufen haben
ihr riefet	ihr hättet gerufen	ihr werdet gerufen haben
sie riefen	sie hätten gerufen	sie werden gerufen haben

Infinitiv	Partizip	Imperativ
Präsens	**Partizip I**	ruf(e) (du)
rufen	rufend	rufen wir
		ruft (ihr)
Perfekt	**Partizip II**	rufen Sie
gerufen haben	gerufen	

Beispiele und Wendungen

„Vorsicht!", rief er laut.
Ich habe nach dir gerufen, aber du hast mich nicht gehört.
Er heißt Andreas, wird aber Andi gerufen.

jmdn. rufen	*jmdn. laut auf sich aufmerksam machen*
(um) Hilfe rufen	*durch Schreien Hilfe herbeiholen*
den Arzt rufen	*telefonisch den Arzt herbeiholen*
den Kellner rufen	*im Restaurant den Kellner verlangen*

Weitere Verben

an•rufen – auf•rufen – berufen – hervor•rufen

jmdn. anrufen	*jmdn. per Telefon kontaktieren*
jmdn. aufrufen (z. B. im Wartezimmer)	*sagen, dass jmd. an der Reihe ist*
sich auf etwas berufen	*auf etwas als Quelle verweisen*
sich auf jmdn. berufen	*jmdn. als Autorität für etwas angeben*
eine Allergie hervorrufen.	*eine Allergie verursachen*

Besonderheiten

Mit **Ruf** oder **rufen** werden viele Wörter gebildet, die entweder etwas mit Telefonieren oder mit dem Holen von Hilfe zu tun haben – manche sogar mit beidem. Schreiben Sie sich die Wörter auf, oder tragen Sie sie in ein Diagramm wie dieses hier ein: So können Sie die Wörter Gruppen zuordnen und damit leichter lernen.

Telefon   Hilfe holen

Rückruf / Notruf / Hilferuf
Rufnummer / Rufbereitschaft
Anruf / Notrufsäule
Rufumleitung / Notrufnummer

Eigene Notizen:

66 **saufen**

saufen – soff – gesoffen

Indikativ

Präsens	Perfekt		Futur I	
ich saufe	ich habe	gesoffen	ich werde	saufen
du säufst	du hast	gesoffen	du wirst	saufen
er säuft	er hat	gesoffen	er wird	saufen
wir saufen	wir haben	gesoffen	wir werden	saufen
ihr sauft	ihr habt	gesoffen	ihr werdet	saufen
sie saufen	sie haben	gesoffen	sie werden	saufen

Präteritum	Plusquamperfekt		Futur II	
ich soff	ich hatte	gesoffen	ich werde	gesoffen haben
du soffst	du hattest	gesoffen	du wirst	gesoffen haben
er soff	er hatte	gesoffen	er wird	gesoffen haben
wir soffen	wir hatten	gesoffen	wir werden	gesoffen haben
ihr sofft	ihr hattet	gesoffen	ihr werdet	gesoffen haben
sie soffen	sie hatten	gesoffen	sie werden	gesoffen haben

Konjunktiv

Präsens	Perfekt		Futur I	
ich saufe	ich habe	gesoffen	ich werde	saufen
du saufest	du habest	gesoffen	du werdest	saufen
er saufe	er habe	gesoffen	er werde	saufen
wir saufen	wir haben	gesoffen	wir werden	saufen
ihr saufet	ihr habet	gesoffen	ihr werdet	saufen
sie saufen	sie haben	gesoffen	sie werden	saufen

Präteritum	Plusquamperfekt		Futur II	
ich söffe	ich hätte	gesoffen	ich werde	gesoffen haben
du söffest	du hättest	gesoffen	du werdest	gesoffen haben
er söffe	er hätte	gesoffen	er werde	gesoffen haben
wir söffen	wir hätten	gesoffen	wir werden	gesoffen haben
ihr söffet	ihr hättet	gesoffen	ihr werdet	gesoffen haben
sie söffen	sie hätten	gesoffen	sie werden	gesoffen haben

Infinitiv

Präsens

saufen

Perfekt

gesoffen haben

Partizip

Partizip I

saufend

Partizip II

gesoffen

Imperativ

sauf(e) (du)
saufen wir
sauft (ihr)
saufen Sie

Beispiele und Wendungen

Er säuft den ganzen Tag.
Der Hund war durstig und soff die ganze Schüssel Wasser leer.

jmd. säuft Bier	*jmd. trinkt große Mengen Bier*
Das Pferd säuft Wasser.	*Das Pferd trinkt Wasser.*
jmd. säuft	*jmd. trinkt regelmäßig zu viel Alkohol*
Das Auto säuft zu viel Benzin.	*Das Auto verbraucht zu viel Benzin.*

Weitere Verben

sich besaufen – ersaufen – versaufen

Sie besaufen sich jede Woche.	Sie betrinken sich jede Woche.
Er ist ersoffen.	Er ist ertrunken.
Sie hat ihr ganzes Geld versoffen.	Sie hat alles für Alkohol ausgegeben.

Besonderheiten

Vorsicht! Fast alle Wendungen mit dem Wort **saufen** sind umgangssprachlich oder vulgär.
Nur für Tiere, die trinken, kann man das Wort *saufen* auf jeden Fall verwenden.
Neutraler ist das Verb *trinken*, das, wenn es ohne Objekt benutzt wird, ebenfalls bedeuten
kann, dass jemand zu viel Alkohol konsumiert.

z. B. – Geht es ihm gut?	– Nein. Ich glaube, er trinkt.

Tipp

Jede Zeit ist gut, um die Sprache zu üben. Nutzen Sie Leerlaufzeiten im Wartezimmer, an
der Bushaltestelle, am Flughafen, ... Auch wenn Sie Ihr Lernmaterial nicht dabei haben,
schauen Sie sich um und benennen Sie die Sachen, die Sie sehen, in der Fremdsprache.

Eigene Notizen:

saugen – sog – gesogen

Indikativ

Präsens	Perfekt	Futur I
ich sauge	ich habe gesogen	ich werde saugen
du saugst	du hast gesogen	du wirst saugen
er saugt	er hat gesogen	er wird saugen
wir saugen	wir haben gesogen	wir werden saugen
ihr saugt	ihr habt gesogen	ihr werdet saugen
sie saugen	sie haben gesogen	sie werden saugen

Präteritum	Plusquamperfekt	Futur II
ich sog / saugte*	ich hatte gesogen	ich werde gesogen haben
du sogst / saugtest*	du hattest gesogen	du wirst gesogen haben
er sog / saugte*	er hatte gesogen	er wird gesogen haben
wir sogen / saugten*	wir hatten gesogen	wir werden gesogen haben
ihr sogt / saugtet*	ihr hattet gesogen	ihr werdet gesogen haben
sie sogen / saugten*	sie hatten gesogen	sie werden gesogen haben

Konjunktiv

Präsens	Perfekt	Futur I
ich sauge	ich habe gesogen	ich werde saugen
du saugest	du habest gesogen	du werdest saugen
er sauge	er habe gesogen	er werde saugen
wir saugen	wir haben gesogen	wir werden saugen
ihr sauget	ihr habet gesogen	ihr werdet saugen
sie saugen	sie haben gesogen	sie werden saugen

Präteritum	Plusquamperfekt	Futur II
ich söge	ich hätte gesogen	ich werde gesogen haben
du sögest	du hättest gesogen	du werdest gesogen haben
er söge	er hätte gesogen	er werde gesogen haben
wir sögen	wir hätten gesogen	wir werden gesogen haben
ihr söget	ihr hättet gesogen	ihr werdet gesogen haben
sie sögen	sie hätten gesogen	sie werden gesogen haben

Infinitiv	Partizip	Imperativ
Präsens	**Partizip I**	saug(e) (du)
saugen	saugend	saugen wir
		saugt (ihr)
Perfekt	**Partizip II**	saugen Sie
gesogen haben	gesogen / gesaugt*	

* in technischer Bedeutung nur regelmäßige Form, sonst fakultativ

Beispiele und Wendungen

Das Baby saugt an seinem Daumen.
Ich muss noch den Teppichboden saugen, dann bin ich fertig.

an einem Strohhalm saugen	*etwas durch einen Strohhalm trinken*
sich etwas aus den Fingern saugen	*etwas spontan erfinden*
Die Pumpe saugt das Wasser aus der Maschine.	*Die Pumpe entfernt das Wasser durch Unterdruck aus der Maschine.*
den Teppich saugen	*den Teppich mit dem Staubsauger reinigen*
Vampire saugen Blut.	*Vampire beißen jmdn. und trinken dessen Blut.*

Besonderheiten

saugen kann teilweise wie ein regelmäßiges Verb konjugiert werden. In den Fällen, in denen saugen eine technische Bedeutung hat, muss sogar die regelmäßige Form stehen.

z. B. Er sog/saugte an seiner Pfeife. → nicht-technische Bedeutung, beide Formen möglich

Sie saugte gerade das Zimmer. → nur regelmäßige Form möglich
Die Maschine saugte die kalte Luft aus dem Raum. → technische Bedeutung, nur regelmäßige Form möglich

saugen kann man leicht mit dem regelmäßigen Verb (→ Nr. 4) *säugen* verwechseln.
säugen bedeutet, dass ein Tier seine Jungen Milch saugen lässt.
z. B. Die Katze säugt ihre Jungen.

Tipp

Lernen Sie selbstständig. Machen Sie sich bewusst, was für Sie wichtig ist – und was nicht. Sie müssen nicht immer alles beherrschen, was in den Büchern steht.

Eigene Notizen:

Indikativ

Präsens	Perfekt	Futur I
ich schlafe	ich habe geschlafen	ich werde schlafen
du schläfst	du hast geschlafen	du wirst schlafen
er schläft	er hat geschlafen	er wird schlafen
wir schlafen	wir haben geschlafen	wir werden schlafen
ihr schlaft	ihr habt geschlafen	ihr werdet schlafen
sie schlafen	sie haben geschlafen	sie werden schlafen

Präteritum	Plusquamperfekt	Futur II
ich schlief	ich hatte geschlafen	ich werde geschlafen haben
du schliefst	du hattest geschlafen	du wirst geschlafen haben
er schlief	er hatte geschlafen	er wird geschlafen haben
wir schliefen	wir hatten geschlafen	wir werden geschlafen haben
ihr schlieft	ihr hattet geschlafen	ihr werdet geschlafen haben
sie schliefen	sie hatten geschlafen	sie werden geschlafen haben

Konjunktiv

Präsens	Perfekt	Futur I
ich schlafe	ich habe geschlafen	ich werde schlafen
du schlafest	du habest geschlafen	du werdest schlafen
er schlafe	er habe geschlafen	er werde schlafen
wir schlafen	wir haben geschlafen	wir werden schlafen
ihr schlafet	ihr habet geschlafen	ihr werdet schlafen
sie schlafen	sie haben geschlafen	sie werden schlafen

Präteritum	Plusquamperfekt	Futur II
ich schliefe	ich hätte geschlafen	ich werde geschlafen haben
du schliefest	du hättest geschlafen	du werdest geschlafen haben
er schliefe	er hätte geschlafen	er werde geschlafen haben
wir schliefen	wir hätten geschlafen	wir werden geschlafen haben
ihr schliefet	ihr hättet geschlafen	ihr werdet geschlafen haben
sie schliefen	sie hätten geschlafen	sie werden geschlafen haben

Infinitiv	Partizip	Imperativ
Präsens	**Partizip I**	schlaf(e) (du)
schlafen	schlafend	schlafen wir
		schlaft (ihr)
Perfekt	**Partizip II**	schlafen Sie
geschlafen haben	geschlafen	

Beispiele und Wendungen

Er schlief tief und fest.
Die Eltern lassen die Kinder noch ein wenig schlafen.

tief schlafen	*im Schlaf durch nichts zu stören sein*
mit jmdm. schlafen	*mit jmdm. Sex haben*
in der Schule geschlafen haben	*nichts gelernt haben*
Ich muss darüber schlafen.	*Ich muss mir das noch einmal überlegen.*
Schlaf gut!	*Gute Nacht!*

Weitere Verben

aus•schlafen – ein•schlafen –verschlafen

Am Sonntag können wir ausschlafen.	*Am Sonntag müssen wir nicht früh aufstehen.*
Ich habe ausgeschlafen.	*Ich habe mich über Nacht gut erholt.*
Das Kind ist eingeschlafen.	*Das Kind schläft jetzt.*
Mein Fuß ist eingeschlafen.	*Mein Fuß ist taub und kribbelt.*
Er hat verschlafen.	*Er ist zu spät aufgewacht.*
einen Termin verschlafen	*einen Termin verpassen*

Tipp

Wenn Sie Wörter beim Lernen laut aussprechen, achten Sie stets darauf, lange und kurze Vokale zu unterscheiden. Wörter mit kurzen und langen Vokalen haben nämlich häufig unterschiedliche Bedeutungen. Kurze Vokale erkennen Sie häufig daran, dass ihnen ein doppelter Konsonant folgt.

z. B. ich schl**a**fe	→ langer Vokal, kommt von **schlafen**
die Fahne hängt schl**aff**	→ kurzer Vokal, von *schlaff* (kraftlos, formlos)

Eigene Notizen:

69 **schmelzen**

schmelzen – schmolz – geschmolzen

Stammvokalwechsel **e – o – o**
Vokalwechsel im Präsens (siehe S. 13) / **s**-Ausfall
(siehe S. 45) / **e**-Einschub (siehe S. 44)

Indikativ

Präsens

ich schmelze
du schmilzt
er schmilzt
wir schmelzen
ihr schmelzt
sie schmelzen

Perfekt

ich bin geschmolzen
du bist geschmolzen
er ist geschmolzen
wir sind geschmolzen
ihr seid geschmolzen
sie sind geschmolzen

Futur I

ich werde schmelzen
du wirst schmelzen
er wird schmelzen
wir werden schmelzen
ihr werdet schmelzen
sie werden schmelzen

Präteritum

ich schmolz
du schmolzest
er schmolz
wir schmolzen
ihr schmolz(e)t
sie schmolzen

Plusquamperfekt

ich war geschmolzen
du warst geschmolzen
er war geschmolzen
wir waren geschmolzen
ihr wart geschmolzen
sie waren geschmolzen

Futur II

ich werde geschmolzen sein
du wirst geschmolzen sein
er wird geschmolzen sein
wir werden geschmolzen sein
ihr werdet geschmolzen sein
sie werden geschmolzen sein

Konjunktiv

Präsens

ich schmelze
du schmelzest
er schmelze
wir schmelzen
ihr schmelzet
sie schmelzen

Perfekt

ich sei geschmolzen
du sei(e)st geschmolzen
er sei geschmolzen
wir seien geschmolzen
ihr sei(e)t geschmolzen
sie seien geschmolzen

Futur I

ich werde schmelzen
du werdest schmelzen
er werde schmelzen
wir werden schmelzen
ihr werdet schmelzen
sie werden schmelzen

Präteritum

ich schmölze
du schmölzest
er schmölze
wir schmölzen
ihr schmölzet
sie schmölzen

Plusquamperfekt

ich wäre geschmolzen
du wär(e)st geschmolzen
er wäre geschmolzen
wir wären geschmolzen
ihr wär(e)t geschmolzen
sie wären geschmolzen

Futur II

ich werde geschmolzen sein
du werdest geschmolzen sein
er werde geschmolzen sein
wir werden geschmolzen sein
ihr werdet geschmolzen sein
sie werden geschmolzen sein

Infinitiv

Präsens

schmelzen

Perfekt

geschmolzen sein/haben

Partizip

Partizip I

schmelzend

Partizip II

geschmolzen

Imperativ

schmilz (du)
schmelzen wir
schmelzt (ihr)
schmelzen Sie

Beispiele und Wendungen

Das Eis ist geschmolzen.
Diese Schokolade schmilzt auf der Zunge.

Der Schnee schmilzt.	*Der Schnee wird zu Wasser.*
Gold schmelzen	*Gold verflüssigen*
in der Sonne schmelzen	*durch Sonnenwärme flüssig werden*

Weitere Verben

ein•schmelzen – verschmelzen

einen Ring einschmelzen	*einen Ring durch Hitze verflüssigen*
zwei Metalle verschmelzen	*zwei Metalle miteinander mischen*
die Farben verschmelzen	*die Farben vermischen sich*

Besonderheiten

Für die 2. Person Sing. Präsens von **schmelzen** wird heute die Form (du) **schmilzt** verwendet. Die Form (du) *schmilzest* ist veraltet.

Tipp

Denken Sie immer daran, effektiv zu lernen, gerade, wenn Sie wenig Zeit haben. Seltenere Verben – wie zum Beispiel **schmelzen** – müssen Sie nur dann lernen, wenn Sie sie etwa beruflich brauchen. Ansonsten reicht es bei solchen Wörtern, wenn Sie sie passiv beherrschen: Sie sollten sie in den jeweiligen Verbformen erkennen können – das genügt. Und wenn Sie die Formen doch einmal selbst bilden müssen, dann greifen Sie einfach zu Ihren Verbtabellen.

Eigene Notizen:

schreien – schrie – geschrien

Indikativ

Präsens

ich schreie
du schreist
er schreit
wir schreien
ihr schreit
sie schreien

Perfekt

ich habe geschrien
du hast geschrien
er hat geschrien
wir haben geschrien
ihr habt geschrien
sie haben geschrien

Futur I

ich werde schreien
du wirst schreien
er wird schreien
wir werden schreien
ihr werdet schreien
sie werden schreien

Präteritum

ich schrie
du schriest
er schrie
wir schrien
ihr schriet
sie schrien

Plusquamperfekt

ich hatte geschrien
du hattest geschrien
er hatte geschrien
wir hatten geschrien
ihr hattet geschrien
sie hatten geschrien

Futur II

ich werde geschrien haben
du wirst geschrien haben
er wird geschrien haben
wir werden geschrien haben
ihr werdet geschrien haben
sie werden geschrien haben

Konjunktiv

Präsens

ich schreie
du schreiest
er schreie
wir schreien
ihr schreiet
sie schreien

Perfekt

ich habe geschrien
du habest geschrien
er habe geschrien
wir haben geschrien
ihr habet geschrien
sie haben geschrien

Futur I

ich werde schreien
du werdest schreien
er werde schreien
wir werden schreien
ihr werdet schreien
sie werden schreien

Präteritum

ich schriee
du schrieest
er schriee
wir schrieen
ihr schrieet
sie schrieen

Plusquamperfekt

ich hätte geschrien
du hättest geschrien
er hätte geschrien
wir hätten geschrien
ihr hättet geschrien
sie hätten geschrien

Futur II

ich werde geschrien haben
du werdest geschrien haben
er werde geschrien haben
wir werden geschrien haben
ihr werdet geschrien haben
sie werden geschrien haben

Infinitiv

Präsens

schreien

Perfekt

geschrien haben

Partizip

Partizip I

schreiend

Partizip II

geschrien

Imperativ

schrei(e) (du)
schreien wir
schreit (ihr)
schreien Sie

Beispiele und Wendungen

Die Kinder schreien auf dem Schulhof.
Als sie sich das Bein brach, schrie sie vor Schmerzen.
Es war so laut, dass wir schreien mussten, um gehört zu werden.

sich heiser schreien	*so laut rufen, dass man heiser wird*
vor Begeisterung schreien	*jmdm. zujubeln*
Diese Wand schreit nach Farbe.	*Ich finde, diese Wand braucht Farbe.*
vor Schmerzen schreien	*laut jammern, weil man Schmerz fühlt*

Weitere Verben

an•schreien – auf•schreien – beschreien – speien

sich anschreien	*sich lautstark streiten*
jmdn. anschreien	*jmdn. laut beschimpfen*
vor Angst aufschreien	*schreien, weil man Angst hat*
speien müssen	*sich übergeben müssen*

Besonderheiten

Vorsicht bei der Schreibung! Das Präteritum von **schreien** enthält kein zusätzliches **e** im Plural, auch wenn es häufig so ausgesprochen wird.

(wir) **schrie** + **en** = **schrien**
Verbstamm im   *Endung*
Präteritum

speien ist ein eher altmodisches Wort für *spucken*. Häufig benutzt wird es nur noch in Verbindung mit Drachen, Vulkanen und sogenannten Feuerspuckern – Leuten, die auf Jahrmärkten damit auftreten, aus ihrem Mund große Flammen ausstoßen zu können.

Eigene Notizen:

Stammvokalwechsel **ö – o – o**

schwören – schwor – geschworen

Indikativ

Präsens

ich schwöre
du schwörst
er schwört
wir schwören
ihr schwört
sie schwören

Perfekt

ich habe geschworen
du hast geschworen
er hat geschworen
wir haben geschworen
ihr habt geschworen
sie haben geschworen

Futur I

ich werde schwören
du wirst schwören
er wird schwören
wir werden schwören
ihr werdet schwören
sie werden schwören

Präteritum

ich schwor / schwur*
du schworst / schwurst*
er schwor / schwur*
wir schworen / schwuren*
ihr schwort / schwurt*
sie schworen / schwuren*

Plusquamperfekt

ich hatte geschworen
du hattest geschworen
er hatte geschworen
wir hatten geschworen
ihr hattet geschworen
sie hatten geschworen

Futur II

ich werde geschworen haben
du wirst geschworen haben
er wird geschworen haben
wir werden geschworen haben
ihr werdet geschworen haben
sie werden geschworen haben

Konjunktiv

Präsens

ich schwöre
du schwörest
er schwöre
wir schwören
ihr schwöret
sie schwören

Perfekt

ich habe geschworen
du habest geschworen
er habe geschworen
wir haben geschworen
ihr habet geschworen
sie haben geschworen

Futur I

ich werde schwören
du werdest schwören
er werde schwören
wir werden schwören
ihr werdet schwören
sie werden schwören

Präteritum

ich schwüre
du schwürest
er schwüre
wir schwüren
ihr schwüret
sie schwüren

Plusquamperfekt

ich hätte geschworen
du hättest geschworen
er hätte geschworen
wir hätten geschworen
ihr hättet geschworen
sie hätten geschworen

Futur II

ich werde geschworen haben
du werdest geschworen haben
er werde geschworen haben
wir werden geschworen haben
ihr werdet geschworen haben
sie werden geschworen haben

Infinitiv

Präsens

schwören

Perfekt

geschworen haben

Partizip

Partizip I

schwörend

Partizip II

geschworen

Imperativ

schwör(e) (du)
schwören wir
schwört (ihr)
schwören Sie

* veraltet

Beispiele und Wendungen

Er schwor mit erhobener Hand.
Ich habe mir geschworen, ihn nie wiederzusehen.

einen Eid schwören	*einen Eid ablegen*
auf die Verfassung schwören	*einen Eid auf die Verfassung ablegen*
sich etwas schwören	*sich fest vornehmen, etwas zu tun*
jmdm. ewige Treue schwören	*versprechen, jmdm. ewig treu zu sein*
Ich schwöre, ich weiß es nicht.	*Ich weiß es wirklich nicht.*
Ich könnte schwören, dass …	*Ich bin mir sicher, dass …*

Weitere Verben

beschwören – sich verschwören

einen Geist beschwören	*einen Geist herbeirufen*
eine Schlange beschwören	*eine Schlange mit Flötenmusik hervorlocken*
beschwören, dass etwas wahr ist	*unter Eid versichern, dass etwas wahr ist*
sich gegen jmdn. verschwören	*sich mit mehreren Leuten gegen jmdn. verbünden*
Alles hatte sich gegen ihn verschworen.	*Alles ging schief.*

Besonderheiten

Die veralteten Formen von **schwören** im Präteritum sind nur noch sehr, sehr selten zu finden. Konzentrieren Sie sich also besser gleich auf die modernen Formen.

Die veralteten Formen sind in der Tabelle mit einem * gekennzeichnet.

Eigene Notizen:

Stammvokalwechsel **e - a - e**

Vokalwechsel im Präsens (siehe S. 13)

Indikativ

Präsens	Perfekt	Futur I
ich sehe	ich habe gesehen	ich werde sehen
du siehst	du hast gesehen	du wirst sehen
er sieht	er hat gesehen	er wird sehen
wir sehen	wir haben gesehen	wir werden sehen
ihr seht	ihr habt gesehen	ihr werdet sehen
sie sehen	sie haben gesehen	sie werden sehen

Präteritum	Plusquamperfekt	Futur II
ich sah	ich hatte gesehen	ich werde gesehen haben
du sahst	du hattest gesehen	du wirst gesehen haben
er sah	er hatte gesehen	er wird gesehen haben
wir sahen	wir hatten gesehen	wir werden gesehen haben
ihr saht	ihr hattet gesehen	ihr werdet gesehen haben
sie sahen	sie hatten gesehen	sie werden gesehen haben

Konjunktiv

Präsens	Perfekt	Futur I
ich sehe	ich habe gesehen	ich werde sehen
du sehest	du habest gesehen	du werdest sehen
er sehe	er habe gesehen	er werde sehen
wir sehen	wir haben gesehen	wir werden sehen
ihr sehet	ihr habet gesehen	ihr werdet sehen
sie sehen	sie haben gesehen	sie werden sehen

Präteritum	Plusquamperfekt	Futur II
ich sähe	ich hätte gesehen	ich werde gesehen haben
du sähest	du hättest gesehen	du werdest gesehen haben
er sähe	er hätte gesehen	er werde gesehen haben
wir sähen	wir hätten gesehen	wir werden gesehen haben
ihr sähet	ihr hättet gesehen	ihr werdet gesehen haben
sie sähen	sie hätten gesehen	sie werden gesehen haben

Infinitiv

Präsens

sehen

Perfekt

gesehen haben

Partizip

Partizip I

sehend

Partizip II

gesehen

Imperativ

sieh (du)
sehen wir
seht (ihr)
sehen Sie

Beispiele und Wendungen

Ich habe vorhin einen Unfall gesehen.
Ich sehe darin unser größtes Problem.

Wir sehen uns morgen Abend.	*Wir treffen uns morgen Abend.*
einen Film sehen	*einen Film anschauen*
Ich sehe das anders als du.	*Ich schätze das anders ein als du.*
schlecht sehen	*Dinge visuell schlecht erkennen*
nach der Katze sehen	*sich um die Katze kümmern*
Man sieht sich!	*Bis bald! (umgangssprachlich)*

Weitere Verben

an•sehen – aus•sehen – ein•sehen – fern•sehen – geschehen – übersehen

sich etwas ansehen	*etwas betrachten*
gut aussehen	*ein schöner Anblick sein*
Es sieht schlecht aus.	*Die Chancen sind schlecht.*
einen Fehler einsehen	*einen Fehler zugeben*
eine Akte einsehen	*eine Akte lesen*
Er sieht gern fern.	*Er schaut gerne TV.*
So etwas geschieht oft.	*So etwas passiert ständig.*
etwas Wichtiges übersehen	*etwas Wichtiges nicht merken*

Tipp

Nomen zu den Verben mit sehen werden entweder mit dem Wort -**sicht** oder mit dem Wort -**sehen** gebildet. Oft gibt es sogar beide Kombinationen, die dann aber völlig unterschiedliche Bedeutungen haben können.

z. B. **aussehen** → die Aussicht: *der Blick von einem bestimmten Punkt*
→ das Aussehen: *das Erscheinungsbild von etwas*

Eigene Notizen:

73 **senden**

senden – sandte – gesandt

e-Einschub (siehe S. 45)

Indikativ

Präsens	Perfekt	Futur I
ich sende	ich habe gesandt	ich werde senden
du sendest	du hast gesandt	du wirst senden
er sendet	er hat gesandt	er wird senden
wir senden	wir haben gesandt	wir werden senden
ihr sendet	ihr habt gesandt	ihr werdet senden
sie senden	sie haben gesandt	sie werden senden

Präteritum	Plusquamperfekt	Futur II
ich sandte	ich hatte gesandt	ich werde gesandt haben
du sandtest	du hattest gesandt	du wirst gesandt haben
er sandte	er hatte gesandt	er wird gesandt haben
wir sandten	wir hatten gesandt	wir werden gesandt haben
ihr sandtet	ihr hattet gesandt	ihr werdet gesandt haben
sie sandten	sie hatten gesandt	sie werden gesandt haben

Konjunktiv

Präsens	Perfekt	Futur I
ich sende	ich habe gesandt	ich werde senden
du sendest	du habest gesandt	du werdest senden
er sende	er habe gesandt	er werde senden
wir senden	wir haben gesandt	wir werden senden
ihr sendet	ihr habet gesandt	ihr werdet senden
sie senden	sie haben gesandt	sie werden senden

Präteritum	Plusquamperfekt	Futur II
ich sendete	ich hätte gesandt	ich werde gesandt haben
du sendetest	du hättest gesandt	du werdest gesandt haben
er sendete	er hätte gesandt	er werde gesandt haben
wir sendeten	wir hätten gesandt	wir werden gesandt haben
ihr sendetet	ihr hättet gesandt	ihr werdet gesandt haben
sie sendeten	sie hätten gesandt	sie werden gesandt haben

Infinitiv	Partizip	Imperativ
Präsens	**Partizip I**	send(e) (du)
senden	sendend	senden wir
		sendet (ihr)
Perfekt	**Partizip II**	senden Sie
gesandt haben	gesandt	

Beispiele und Wendungen

Oma sendet dir auch viele Grüße.
Die UNO sendet Blauhelmsoldaten in Krisengebiete.

einen Brief senden	*einen Brief schicken*
eine SMS senden	*eine Textnachricht per Handy schicken*
jmdm. Geld senden	*jmdm. Geld zukommen lassen*

Weitere Verben

ab•senden – versenden – wenden

ein Paket absenden	*ein Paket losschicken*
Briefe versenden	*Briefe zur Post bringen*
Diese Nachricht wendet sich an alle.	*Diese Nachricht ist an alle gerichtet.*

Besonderheiten

senden kann in der Bedeutung von *schicken* oder *grüßen* (Grüße senden) sowohl regelmäßig (→ Nr. 4) als auch unregelmäßig konjugiert werden.
z. B. Das Päckchen wurde gesendet. = Das Päckchen wurde gesandt.

In der technischen Bedeutung (z. B. TV, Radio), ist **senden** immer regelmäßig.
z. B. Das Radio sendete ein Klavierkonzert.

wenden in der Bedeutung von Richtungswechsel oder umdrehen wird immer regelmäßig konjugiert.
z. B. Er hat das Auto gewendet.

Wenn Sie die unregelmäßigen Formen verwenden, denken Sie daran, dass man hier am Ende des Wortes **dt** schreibt, obwohl man nur ein **t** hört.
z. B. Er wandte sich an dich.   *(Er sprach dich an.)*

Eigene Notizen:

Stammvokalwechsel **ie - o - o**
e-Einschub (siehe S. 44) / Konsonantendopplung
(siehe S. 46)

Indikativ

Präsens

ich siede
du siedest
er siedet
wir sieden
ihr siedet
sie sieden

Perfekt

ich habe   gesotten
du hast   gesotten
er hat   gesotten
wir haben   gesotten
ihr habt   gesotten
sie haben   gesotten

Futur I

ich werde   sieden
du wirst   sieden
er wird   sieden
wir werden   sieden
ihr werdet   sieden
sie werden   sieden

Präteritum

ich sott
du sottest
er sott
wir sotten
ihr sottet
sie sotten

Plusquamperfekt

ich hatte   gesotten
du hattest   gesotten
er hatte   gesotten
wir hatten   gesotten
ihr hattet   gesotten
sie hatten   gesotten

Futur II

ich werde   gesotten haben
du wirst   gesotten haben
er wird   gesotten haben
wir werden   gesotten haben
ihr werdet   gesotten haben
sie werden   gesotten haben

Konjunktiv

Präsens

ich siede
du siedest
er siede
wir sieden
ihr siedet
sie siedet

Perfekt

ich habe   gesotten
du habest   gesotten
er habe   gesotten
wir haben   gesotten
ihr habet   gesotten
sie haben   gesotten

Futur I

ich werde   sieden
du werdest   sieden
er werde   sieden
wir werden   sieden
ihr werdet   sieden
sie werden   sieden

Präteritum

ich sötte
du söttest
er sötte
wir sötten
ihr söttet
sie sötten

Plusquamperfekt

ich hätte   gesotten
du hättest   gesotten
er hätte   gesotten
wir hätten   gesotten
ihr hättet   gesotten
sie hätten   gesotten

Futur II

ich werde   gesotten haben
du werdest   gesotten haben
er werde   gesotten haben
wir werden   gesotten haben
ihr werdet   gesotten haben
sie werden   gesotten haben

Infinitiv

Präsens

sieden

Perfekt

gesotten haben

Partizip

Partizip I

siedend

Partizip II

gesotten

Imperativ

sied(e) (du)
sieden wir
siedet (ihr)
sieden Sie

Beispiele und Wendungen

Wenn das Wasser siedet, können Sie den Kaffee aufgießen.

Das Wasser siedet.   *Das Wasser hat genau 100° Celsius.*
Die Wurst wird gesotten.   *Die Wurst wird in heißer Flüssigkeit zubereitet.*

Besonderheiten

sieden ist ein seltenes Wort, das vor allem in technischen Zusammenhängen benutzt wird. Seltener kommt es auch in Kochrezepten oder ähnlichem vor. In der Alltagssprache verwendet man eher das Wort *kochen*.

z. B.   Das Wasser siedet.   (technischer Begriff)
       Das Wasser kocht.   (Umgangssprache)

Die unregelmäßigen Formen werden nur noch im Zusammenhang mit *gesottenen*, das heißt, in heißer Flüssigkeit zubereiteten Speisen gebraucht, und selbst das nur regional. Wenn Flüssigkeiten den Siedepunkt erreichen (also den Punkt, an dem sie vom flüssigen in den gasförmigen Zustand wechseln), nimmt man heute nur noch die regelmäßigen Formen von *sieden* (→ Nr. 4).

Tipp

Versuchen Sie, so viel wie möglich in der Fremdsprache zu sprechen. Eine gute Möglichkeit ist es, sich einen Tandempartner zu suchen – also jemanden, der Deutsch spricht und ihre Muttersprache lernen will.
Unterhalten Sie sich mit ihm über seine und über Ihre Interessen (abwechselnd ein Treffen in Ihrer Muttersprache, dann eines auf Deutsch).
Scheuen Sie sich nicht, über Tätigkeiten und Abläufe zu sprechen. Damit üben Sie die Anwendung der Verben, so dass diese Ihnen immer leichter fallen werden.

Eigene Notizen:

75 **sitzen**

sitzen – saß – gesessen

Stammvokalwechsel **i – a – e**

s-Ausfall (siehe S. 45) / **e**-Einschub (siehe S. 44)

Indikativ

Präsens	Perfekt	Futur I
ich sitze	ich habe gesessen	ich werde sitzen
du sitzt	du hast gesessen	du wirst sitzen
er sitzt	er hat gesessen	er wird sitzen
wir sitzen	wir haben gesessen	wir werden sitzen
ihr sitzt	ihr habt gesessen	ihr werdet sitzen
sie sitzen	sie haben gesessen	sie werden sitzen

Präteritum	Plusquamperfekt	Futur II
ich saß	ich hatte gesessen	ich werde gesessen haben
du saßest	du hattest gesessen	du wirst gesessen haben
er saß	er hatte gesessen	er wird gesessen haben
wir saßen	wir hatten gesessen	wir werden gesessen haben
ihr saß(e)t	ihr hattet gesessen	ihr werdet gesessen haben
sie saßen	sie hatten gesessen	sie werden gesessen haben

Konjunktiv

Präsens	Perfekt	Futur I
ich sitze	ich habe gesessen	ich werde sitzen
du sitzest	du habest gesessen	du werdest sitzen
er sitze	er habe gesessen	er werde sitzen
wir sitzen	wir haben gesessen	wir werden sitzen
ihr sitzet	ihr habet gesessen	ihr werdet sitzen
sie sitzen	sie haben gesessen	sie werden sitzen

Präteritum	Plusquamperfekt	Futur II
ich säße	ich hätte gesessen	ich werde gesessen haben
du säßest	du hättest gesessen	du werdest gesessen haben
er säße	er hätte gesessen	er werde gesessen haben
wir säßen	wir hätten gesessen	wir werden gesessen haben
ihr säßet	ihr hättet gesessen	ihr werdet gesessen haben
sie säßen	sie hätten gesessen	sie werden gesessen haben

Infinitiv	Partizip	Imperativ
Präsens	**Partizip I**	sitz(e) (du)
sitzen	sitzend	sitzen wir
		sitzt (ihr)
Perfekt	**Partizip II**	sitzen Sie
gesessen haben/sein*	gesessen	

* in Süddeutschland auch mit *sein* konjugiert

Beispiele und Wendungen

Die alte Dame sitzt auf einer Parkbank.
Hier ist ein Platz frei. Möchtest du lieber sitzen oder stehen?

auf einem Stuhl sitzen	*auf einem Stuhl Platz genommen haben*
über einer Aufgabe sitzen	*sich mit der Aufgabe beschäftigen*
Das Kleid sitzt perfekt.	*Das Kleid passt sehr gut.*
jmd. sitzt im Parlament	*jmd. ist Mitglied des Parlaments*
jmd. sitzt vorm Fernseher	*jmd. sieht fern*
Er muss drei Jahre sitzen.	*Er muss für drei Jahre ins Gefängnis.*
Er hat sie sitzen lassen.	*Er hat sie verlassen.*

Weitere Verben

besitzen – sitzen•bleiben

ein schönes Haus besitzen	*ein schönes Haus haben*
Sie ist sitzengeblieben.	*Sie musste ein Schuljahr wiederholen.*

Besonderheiten

sitzen kann man leicht mit dem Verb **setzen** verwechseln. *setzen* wird regelmäßig (→ Nr. 4) konjugiert und bedeutet, etwas in eine sitzende Position zu bringen. Häufig wird es reflexiv (*sich setzen*) verwendet.

z. B.   Die Mutter <u>setzt</u> ihr Kind in die Badewanne.
<u>Setzen</u> Sie <u>sich</u>, bitte!   (reflexiv, → Nr. 7)

Wie bei einigen anderen Verben, die einen Zustand bezeichnen (z. B. *hängen* → Nr. 43) können bei **sitzen** die zusammengesetzten Zeiten in Süddeutschland auch mit *sein* anstelle von *haben* gebildet werden.

Eigene Notizen:

76 **sollen**

sollen – sollte – gesollt

Indikativ

Präsens	Perfekt	Futur I
ich soll	ich habe gesollt	ich werde sollen
du sollst	du hast gesollt	du wirst sollen
er soll	er hat gesollt	er wird sollen
wir sollen	wir haben gesollt	wir werden sollen
ihr sollt	ihr habt gesollt	ihr werdet sollen
sie sollen	sie haben gesollt	sie werden sollen

Präteritum	Plusquamperfekt	Futur II
ich sollte	ich hatte gesollt	ich werde gesollt haben
du solltest	du hattest gesollt	du wirst gesollt haben
er sollte	er hatte gesollt	er wird gesollt haben
wir sollten	wir hatten gesollt	wir werden gesollt haben
ihr solltet	ihr hattet gesollt	ihr werdet gesollt haben
sie sollten	sie hatten gesollt	sie werden gesollt haben

Konjunktiv

Präsens	Perfekt	Futur I
ich solle	ich habe gesollt	ich werde sollen
du sollest	du habest gesollt	du werdest sollen
er solle	er habe gesollt	er werde sollen
wir sollen	wir haben gesollt	wir werden sollen
ihr sollet	ihr habet gesollt	ihr werdet sollen
sie sollen	sie haben gesollt	sie werden sollen

Präteritum	Plusquamperfekt	Futur II
ich sollte	ich hätte gesollt	ich werde gesollt haben
du solltest	du hättest gesollt	du werdest gesollt haben
er sollte	er hätte gesollt	er werde gesollt haben
wir sollten	wir hätten gesollt	wir werden gesollt haben
ihr solltet	ihr hättet gesollt	ihr werdet gesollt haben
sie sollten	sie hätten gesollt	sie werden gesollt haben

Infinitiv

Präsens
sollen

Perfekt
gesollt haben

Partizip

Partizip I
sollend

Partizip II
gesollt

Imperativ

—
—
—
—

Beispiele und Wendungen

Michael soll heute nicht in die Schule. Er ist krank.
Man sollte in fremden Städten immer einen Stadtplan haben.

etwas soll in den Keller	*jmd. will, dass etwas in den Keller gebracht wird*
Er soll zum Chef kommen.	*Er muss zum Chef gehen.*
Man soll nicht stehlen.	*Es ist verboten zu stehlen.*
Du sollst die Gläser spülen.	*Ich erwarte, dass du die Gläser spülst.*
Du solltest Vitamine nehmen.	*Ich empfehle dir, Vitamine zu nehmen.*
Ich soll das machen.	*Ich habe den Auftrag, das zu machen.*
Soll ich das Fenster öffnen?	*Willst du, dass ich das Fenster öffne?*
Sollen wir heute ins Kino gehen?	*Willst du, dass wir ins Kino gehen?*
Dieser Mann soll viel Geld haben.	*Man sagt, dieser Mann habe viel Geld.*
Es soll ein schönes Fest werden.	*Es ist geplant, dass das Fest schön wird.*
Das hätte ich tun sollen.	*Es wäre besser gewesen, wenn ich das gemacht hätte.*

Besonderheiten

Ähnlich wie bei *müssen* (→ Nr. 60) verwendet man auch bei **sollen** nur selten das Partizip (*gesollt*) in den zusammengesetzten Zeiten. Immer, wenn im Satz ein weiteres Verb vorangeht, benutzt man den Infinity *sollen*.
z. B.   Ich hätte das Fenster öffnen <u>sollen</u>.

Tipp

sollen kann für Anfänger verwirrend sein, da es eine ganze Reihe von sehr unterschiedlichen Bedeutungen hat, wie Sie an den Wendungen oben sehen können. Lernen Sie die Wendungen gut. Wenn Sie Sätze mit **sollen** hören oder lesen, notieren Sie sie hier – so entwickeln Sie ein Gefühl für die verschiedenen Bedeutungen.

Eigene Notizen:

springen – sprang – gesprungen

Indikativ

Präsens	Perfekt		Futur I	
ich springe	ich bin	gesprungen	ich werde	springen
du springst	du bist	gesprungen	du wirst	springen
er springt	er ist	gesprungen	er wird	springen
wir springen	wir sind	gesprungen	wir werden	springen
ihr springt	ihr seid	gesprungen	ihr werdet	springen
sie springen	sie sind	gesprungen	sie werden	springen

Präteritum	Plusquamperfekt		Futur II	
ich sprang	ich war	gesprungen	ich werde	gesprungen sein
du sprangst	du warst	gesprungen	du wirst	gesprungen sein
er sprang	er war	gesprungen	er wird	gesprungen sein
wir sprangen	wir waren	gesprungen	wir werden	gesprungen sein
ihr sprangt	ihr wart	gesprungen	ihr werdet	gesprungen sein
sie sprangen	sie waren	gesprungen	sie werden	gesprungen sein

Konjunktiv

Präsens	Perfekt		Futur I	
ich springe	ich sei	gesprungen	ich werde	springen
du springest	du sei(e)st	gesprungen	du werdest	springen
er springe	er sei	gesprungen	er werde	springen
wir springen	wir seien	gesprungen	wir werden	springen
ihr springet	ihr sei(e)t	gesprungen	ihr werdet	springen
sie springen	sie seien	gesprungen	sie werden	springen

Präteritum	Plusquamperfekt		Futur II	
ich spränge	ich wäre	gesprungen	ich werde	gesprungen sein
du sprängest	du wär(e)st	gesprungen	du werdest	gesprungen sein
er spränge	er wäre	gesprungen	er werde	gesprungen sein
wir sprängen	wir wären	gesprungen	wir werden	gesprungen sein
ihr spränget	ihr wär(e)t	gesprungen	ihr werdet	gesprungen sein
sie sprängen	sie wären	gesprungen	sie werden	gesprungen sein

Infinitiv	Partizip	Imperativ
Präsens	**Partizip I**	spring(e) (du)
springen	springend	springen wir
Perfekt	**Partizip II**	springt (ihr)
gesprungen sein	gesprungen	springen Sie

Beispiele und Wendungen

Steffi springt ins Wasser.
Der Spiegel sprang in Stücke.

Er kann sehr weit springen.　　　　　*Er kann lange Sprünge machen.*
Das Glas ist gesprungen.　　　　　　*Das Glas hat einen Riss bekommen.*

Weitere Verben

gelingen – klingen – stinken – trinken – zwingen

jmdn. zu etwas zwingen	*jmdn. mit Gewalt dazu bringen, etwas zu tun*
Niemand zwingt dich dazu.	*Du musst das nicht tun.*
Es ist uns gelungen, ...	*Wir haben es geschafft, ...*
Das klingt gut.	*Das ist ein guter Vorschlag.*
auf etwas trinken	*einen Toast auf etwas aussprechen*
ein Glas Wasser trinken	*ein Glas Wasser zu sich nehmen*
Er trinkt.	*Er nimmt zu viel Alkohol zu sich.*
Der Käse stinkt.	*Der Käse riecht stark / unangenehm.*

Besonderheiten

Wie andere Verben, die eine Bewegung ausdrücken (z. B. gehen → Nr. 37) bildet auch **springen** die zusammengesetzten Zeiten mit **sein**. Es kann kein Vorgangspassiv bilden, zeigt aber oft im Zustandspassiv das Ergebnis einer Handlung an (→ Nr. 10).

z. B.　Der Spiegel ist in der Mitte gesprungen. (→ Er ist jetzt kaputt).

Dasselbe gilt für das **gelingen**, obwohl dieses Verb keine Bewegung beschreibt.

z. B.　Der Versuch ist endlich gelungen.　　　(→ Er hat funktioniert).

Eigene Notizen:

78 **stehen**

stehen – stand – gestanden

Stammvokalwechsel **e – a – a**

e-Einschub (siehe S. 44)

Indikativ

Präsens	Perfekt		Futur I	
ich stehe	ich habe	gestanden	ich werde	stehen
du stehst	du hast	gestanden	du wirst	stehen
er steht	er hat	gestanden	er wird	stehen
wir stehen	wir haben	gestanden	wir werden	stehen
ihr steht	ihr habt	gestanden	ihr werdet	stehen
sie stehen	sie haben	gestanden	sie werden	stehen

Präteritum	Plusquamperfekt		Futur II	
ich stand	ich hatte	gestanden	ich werde	gestanden haben
du stand(e)st	du hattest	gestanden	du wirst	gestanden haben
er stand	er hatte	gestanden	er wird	gestanden haben
wir standen	wir hatten	gestanden	wir werden	gestanden haben
ihr standet	ihr hattet	gestanden	ihr werdet	gestanden haben
sie standen	sie hatten	gestanden	sie werden	gestanden haben

Konjunktiv

Präsens	Perfekt		Futur I	
ich stehe	ich habe	gestanden	ich werde	stehen
du stehest	du habest	gestanden	du werdest	stehen
er stehe	er habe	gestanden	er werde	stehen
wir stehen	wir haben	gestanden	wir werden	stehen
ihr stehet	ihr habet	gestanden	ihr werdet	stehen
sie stehen	sie haben	gestanden	sie werden	stehen

Präteritum	Plusquamperfekt		Futur II	
ich stünde / stände	ich hätte	gestanden	ich werde	gestanden haben
du stündest / ständest	du hättest	gestanden	du werdest	gestanden haben
er stünde / stände	er hätte	gestanden	er werde	gestanden haben
wir stünden / ständen	wir hätten	gestanden	wir werden	gestanden haben
ihr stündet / ständet	ihr hättet	gestanden	ihr werdet	gestanden haben
sie stünden / ständen	sie hätten	gestanden	sie werden	gestanden haben

---

Infinitiv	Partizip	Imperativ
Präsens	**Partizip I**	steh(e) (du)
stehen	stehend	stehen wir
		steht (ihr)
Perfekt	**Partizip II**	stehen Sie
gestanden haben/sein*	gestanden	

* in Süddeutschland
auch mit *sein* konjugiert

Beispiele und Wendungen

Das Haus steht auf einem Berg.
Jeden morgen um halb acht stand er an der Bushaltestelle.

Die Uhr steht.	*Die Uhr funktioniert nicht.*
etwas steht in der Zeitung	*etwas ist in der Zeitung geschrieben*
Das Kleid steht dir gut.	*Das Kleid sieht an dir gut aus.*
Hans steht auf Rockmusik.	*Hans ist ein Fan von Rockmusik.*

Weitere Verben

an•stehen – bestehen – gestehen – verstehen

an der Kasse anstehen	*in der Schlange an der Kasse warten*
eine Prüfung bestehen	*eine Prüfung erfolgreich ablegen*
etwas besteht seit 1804	*etwas existiert seit 1804*
eine Tat gestehen	*zugeben, dass man etwas getan hat*
jmdn. falsch verstehen	*falsch interpretieren, was jmd. sagt*
sich mit jmdm. gut verstehen	*jmdn. gern mögen*

Besonderheiten

Die zusammengesetzten Zeiten von **stehen** und **gestehen** lauten gleich.
z. B. Ich habe gestanden.   → Perfekt von *Ich stehe.* oder von *Ich gestehe.*

Tipp

Erweitern Sie Ihren Wortschatz! Viele Wörter, die aus einem Präfix + **stehen** gebildet werden, bilden zwei oder drei verschiedene Nomen mit *-stehen*, *-standen* und *-ständnis*.
z. B. das Verstehen   – der Verstand   – das Verständnis.

Schlagen Sie die Wörter im Wörterbuch nach und notieren Sie sie hier!

Eigene Notizen:

stehlen – stahl – gestohlen

Stammvokalwechsel **e – a – o**

Vokalwechsel im Präsens (siehe S. 13)

Indikativ

Präsens	Perfekt		Futur I	
ich stehle	ich habe	gestohlen	ich werde	stehlen
du stiehlst	du hast	gestohlen	du wirst	stehlen
er stiehlt	er hat	gestohlen	er wird	stehlen
wir stehlen	wir haben	gestohlen	wir werden	stehlen
ihr stehlt	ihr habt	gestohlen	ihr werdet	stehlen
sie stehlen	sie haben	gestohlen	sie werden	stehlen

Präteritum	Plusquamperfekt		Futur II	
ich stahl	ich hatte	gestohlen	ich werde	gestohlen haben
du stahlst	du hattest	gestohlen	du wirst	gestohlen haben
er stahl	er hatte	gestohlen	er wird	gestohlen haben
wir stahlen	wir hatten	gestohlen	wir werden	gestohlen haben
ihr stahlt	ihr hattet	gestohlen	ihr werdet	gestohlen haben
sie stahlen	sie hatten	gestohlen	sie werden	gestohlen haben

Konjunktiv

Präsens	Perfekt		Futur I	
ich stehle	ich habe	gestohlen	ich werde	stehlen
du stehlest	du habest	gestohlen	du werdest	stehlen
er stehle	er habe	gestohlen	er werde	stehlen
wir stehlen	wir haben	gestohlen	wir werden	stehlen
ihr stehlet	ihr habet	gestohlen	ihr werdet	stehlen
sie stehlen	sie haben	gestohlen	sie werden	stehlen

Präteritum	Plusquamperfekt		Futur II	
ich stähle / stöhle*	ich hätte	gestohlen	ich werde	gestohlen haben
du stählest / stöhlest*	du hättest	gestohlen	du werdest	gestohlen haben
er stähle / stöhle*	er hätte	gestohlen	er werde	gestohlen haben
wir stählen / stöhlen*	wir hätten	gestohlen	wir werden	gestohlen haben
ihr stählet / stöhlet*	ihr hättet	gestohlen	ihr werdet	gestohlen haben
sie stählen / stöhlen*	sie hätten	gestohlen	sie werden	gestohlen haben

Infinitiv

Präsens

stehlen

Perfekt

gestohlen haben

Partizip

Partizip I

stehlend

Partizip II

gestohlen

Imperativ

stiehl (du)
stehlen wir
stehlt (ihr)
stehlen Sie

* selten

Beispiele und Wendungen

Sie hat im Kaufhaus einen Lippenstift gestohlen.
Der Dieb stiehlt teure Autos und verkauft sie an reiche Kunden.

Man soll nicht stehlen.	*Man soll keine Dinge nehmen, die einem nicht gehören.*
Er hat oft gestohlen.	*Er hat oft geklaut.*
Sie stiehlt mir meine Zeit.	*Sie verschwendet meine Zeit.*
Er kann mir gestohlen bleiben.	*Ich möchte nichts mehr mit ihm zu tun haben.*

Weitere Verben

befehlen – empfehlen

jmdm. befehlen etwas zu tun	*jmdm. sagen, dass er etwas tun muss*
jmdm. ein Buch empfehlen	*jmdm. raten, ein Buch zu lesen*
jmdm. ein Restaurant empfehlen	*jmdm. ein gutes Restaurant nennen*
Das ist nicht zu empfehlen.	*Das sollte man lieber nicht tun.*

Besonderheiten

Es gibt nicht viele Wörter im Deutschen, in denen nach einem **ie** noch ein **h** geschrieben wird, um einen langen **i**-Laut zu markieren. Hier haben Sie zwei der wichtigsten Ausnahmen! Achten Sie also auf die Rechtschreibung in den Formen „du stiehlst" und „er empfiehlt".

Tipp

Lassen Sie sich nicht täuschen! Das Wort **fehlen** wird im Gegensatz zu *befehlen* und *empfehlen* regelmäßig konjugiert, da es trotz der Ähnlichkeit nicht wirklich mit diesen Wörtern verwandt ist.

z. B. er befiehlt   aber: er fehlt

Eigene Notizen:

80 **sterben**

sterben – starb – gestorben

Vokalwechsel im Präsens (siehe S. 13)

Indikativ

Präsens	Perfekt		Futur I	
ich sterbe	ich bin	gestorben	ich werde	sterben
du stirbst	du bist	gestorben	du wirst	sterben
er stirbt	er ist	gestorben	er wird	sterben
wir sterben	wir sind	gestorben	wir werden	sterben
ihr sterbt	ihr seid	gestorben	ihr werdet	sterben
sie sterben	sie sind	gestorben	sie werden	sterben

Präteritum	Plusquamperfekt		Futur II	
ich starb	ich war	gestorben	ich werde	gestorben sein
du starbst	du warst	gestorben	du wirst	gestorben sein
er starb	er war	gestorben	er wird	gestorben sein
wir starben	wir waren	gestorben	wir werden	gestorben sein
ihr starbt	ihr wart	gestorben	ihr werdet	gestorben sein
sie starben	sie waren	gestorben	sie werden	gestorben sein

Konjunktiv

Präsens	Perfekt		Futur I	
ich sterbe	ich sei	gestorben	ich werde	sterben
du sterbest	du sei(e)st	gestorben	du werdest	sterben
er sterbe	er sei	gestorben	er werde	sterben
wir sterben	wir seien	gestorben	wir werden	sterben
ihr sterbet	ihr sei(e)t	gestorben	ihr werdet	sterben
sie sterben	sie seien	gestorben	sie werden	sterben

Präteritum	Plusquamperfekt		Futur II	
ich stürbe	ich wäre	gestorben	ich werde	gestorben sein
du stürbest	du wär(e)st	gestorben	du werdest	gestorben sein
er stürbe	er wäre	gestorben	er werde	gestorben sein
wir stürben	wir wären	gestorben	wir werden	gestorben sein
ihr stürbet	ihr wär(e)t	gestorben	ihr werdet	gestorben sein
sie stürben	sie wären	gestorben	sie werden	gestorben sein

Infinitiv	Partizip	Imperativ
Präsens	**Partizip I**	stirb (du)
sterben	sterbend	sterben wir
		sterbt (ihr)
Perfekt	**Partizip II**	sterben Sie
gestorben sein	gestorben	

Beispiele und Wendungen

Alle Menschen müssen sterben.
James Dean starb 1955 bei einem Autounfall.

Er ist schon lange gestorben.	*Er ist schon seit langem tot.*
an einem Herzinfarkt sterben	*durch einen Herzinfarkt umkommen*
an Krebs sterben	*durch einen Tumor umkommen*
Das Projekt ist gestorben.	*Das Projekt wurde aufgegeben.*

Weitere Verben

sich bewerben – entwerfen – verbergen – verderben – werben – werfen

Milch verdirbt leicht.	*Milch wird schnell schlecht.*
etwas vor jmdm. verbergen	*etwas vor jmdm. verstecken*
für etwas werben	*für etwas Reklame machen*
sich um einen Job bewerben	*versuchen, einen Job zu bekommen*
einen Ball werfen	*einen Ball irgendwohin schleudern*
einen Plan entwerfen	*einen Plan entwickeln und skizzieren*

Tipp

Für **sterben** gibt es einige Synonyme. Achten Sie immer auf den Zusammenhang und den Ton, in dem diese Wörter gebraucht werden

z. B. abkratzen	→ vulgärer Ausdruck, abwertend
krepieren	→ grob, sterben in großem Elend
entschlafen	→ beschönigend, vor allem in Todesanzeigen

Neue Wendungen können Sie effektiver lernen, indem Sie versuchen, sie in einem neuen Sinn zu gebrauchen. Am Besten ist ein Zusammenhang, der mit Ihrem eigenen Leben zu tun hat, denn das können Sie sich am besten merken.
z. B. Ich habe mich gestern um einen Job in München beworben.

Eigene Notizen:

stoßen – stieß – gestoßen

Stammvokalwechsel **o – ie – o**
Vokalwechsel im Präsens (siehe S. 13) / **s**-Ausfall
(siehe S. 45) / **e**-Einschub (siehe S. 44)

Indikativ

Präsens	Perfekt		Futur I	
ich stoße	ich habe	gestoßen	ich werde	stoßen
du stößt	du hast	gestoßen	du wirst	stoßen
er stößt	er hat	gestoßen	er wird	stoßen
wir stoßen	wir haben	gestoßen	wir werden	stoßen
ihr stoßt	ihr habt	gestoßen	ihr werdet	stoßen
sie stoßen	sie haben	gestoßen	sie werden	stoßen

Präteritum	Plusquamperfekt		Futur II	
ich stieß	ich hatte	gestoßen	ich werde	gestoßen haben
du stießest	du hattest	gestoßen	du wirst	gestoßen haben
er stieß	er hatte	gestoßen	er wird	gestoßen haben
wir stießen	wir hatten	gestoßen	wir werden	gestoßen haben
ihr stieß(e)t	ihr hattet	gestoßen	ihr werdet	gestoßen haben
sie stießen	sie hatten	gestoßen	sie werden	gestoßen haben

Konjunktiv

Präsens	Perfekt		Futur I	
ich stoße	ich habe	gestoßen	ich werde	stoßen
du stoßest	du habest	gestoßen	du werdest	stoßen
er stoße	er habe	gestoßen	er werde	stoßen
wir stoßen	wir haben	gestoßen	wir werden	stoßen
ihr stoßet	ihr habet	gestoßen	ihr werdet	stoßen
sie stoßen	sie haben	gestoßen	sie werden	stoßen

Präteritum	Plusquamperfekt		Futur II	
ich stieße	ich hätte	gestoßen	ich werde	gestoßen haben
du stießest	du hättest	gestoßen	du werdest	gestoßen haben
er stieße	er hätte	gestoßen	er werde	gestoßen haben
wir stießen	wir hätten	gestoßen	wir werden	gestoßen haben
ihr stießet	ihr hättet	gestoßen	ihr werdet	gestoßen haben
sie stießen	sie hätten	gestoßen	sie werden	gestoßen haben

Infinitiv

Präsens

stoßen

Perfekt

gestoßen haben/sein

Partizip

Partizip I

stoßend

Partizip II

gestoßen

Imperativ

stoß(e) (du)
stoßen wir
stoßt (ihr)
stoßen Sie

Beispiele und Wendungen

Er hat sich den Kopf gestoßen.
Ich bin mit dem Fuß ans Tischbein gestoßen.

auf Probleme stoßen	*unerwartet auf Probleme treffen*
auf Erdöl stoßen	*Erdöl im Boden finden*
jmdn. zur Seite stoßen	*jmdn. grob zur Seite schieben*
Er stieß mit dem Kopf an die Scheibe.	*Sein Kopf schlug an die Scheibe.*
etwas von sich stoßen	*etwas mit Kraft von sich weg schieben*

Weitere Verben

abstoßen – ausstoßen – umstoßen – zusammenstoßen

Das stößt mich ab.	*Das finde ich widerlich.*
giftige Gase ausstoßen	*giftige Gase in die Luft abgeben*
Die Autos stießen zusammen.	*Die Autos kollidierten.*
Der Körper stößt die Transplantate ab.	*Die Transplantate werden vom Körper nicht übernommen.*
eine Vase umstoßen	*eine Vase umwerfen*
mit jmdm. zusammenstoßen	*mit jmdm. kollidieren*

Besonderheiten

Verwendet man **stoßen** mit einem Präpositionalobjekt (an + Akkusativ), so bildet man die zusammengesetzten Zeiten mit **sein**. Wenn man *stoßen* aber reflexiv benutzt, um auszudrücken, dass man sich wehgetan hat, ist das richtige Hilfsverb **haben**. Wenn man einen Gegenstand irgendwohin wirft oder schiebt, verwendet man ebenfalls **haben**.

z. B. Ich bin an die Scheibe gestoßen.   (stoßen + an)
       Ich habe mir den Fuß an der Scheibe gestoßen.   (reflexiv)
       Sie hat die Kugel drei Meter weit gestoßen.   (werfen)

Eigene Notizen:

Indikativ

Präsens	Perfekt		Futur I	
ich trage	ich habe	getragen	ich werde	tragen
du trägst	du hast	getragen	du wirst	tragen
er trägt	er hat	getragen	er wird	tragen
wir tragen	wir haben	getragen	wir werden	tragen
ihr tragt	ihr habt	getragen	ihr werdet	tragen
sie tragen	sie haben	getragen	sie werden	tragen

Präteritum	Plusquamperfekt		Futur II	
ich trug	ich hatte	getragen	ich werde	getragen haben
du trugst	du hattest	getragen	du wirst	getragen haben
er trug	er hatte	getragen	er wird	getragen haben
wir trugen	wir hatten	getragen	wir werden	getragen haben
ihr trugt	ihr hattet	getragen	ihr werdet	getragen haben
sie trugen	sie hatten	getragen	sie werden	getragen haben

Konjunktiv

Präsens	Perfekt		Futur I	
ich trage	ich habe	getragen	ich werde	tragen
du tragest	du habest	getragen	du werdest	tragen
er trage	er habe	getragen	er werde	tragen
wir tragen	wir haben	getragen	wir werden	tragen
ihr traget	ihr habet	getragen	ihr werdet	tragen
sie tragen	sie haben	getragen	sie werden	tragen

Präteritum	Plusquamperfekt		Futur II	
ich trüge	ich hätte	getragen	ich werde	getragen haben
du trügest	du hättest	getragen	du werdest	getragen haben
er trüge	er hätte	getragen	er werde	getragen haben
wir trügen	wir hätten	getragen	wir werden	getragen haben
ihr trüget	ihr hättet	getragen	ihr werdet	getragen haben
sie trügen	sie hätten	getragen	sie werden	getragen haben

Infinitiv

Präsens

tragen

Perfekt

getragen haben

Partizip

Partizip I

tragend

Partizip II

getragen

Imperativ

trag(e) (du)
tragen wir
tragt (ihr)
tragen Sie

tragen

Beispiele und Wendungen

Die alte Dame trägt eine schwere Tasche.
Der elegante Herr trägt einen teuren Anzug und schwarze Schuhe.

einen Koffer tragen	*einen Koffer transportieren*
einen Hut tragen	*einen Hut auf dem Kopf haben*
die Haare kurz tragen	*eine Kurzhaarfrisur haben*
eine Brille tragen	*eine Brille auf der Nase haben*
die Kosten für etwas tragen	*für etwas bezahlen*

Weitere Verben

betragen – bei•tragen – ein•tragen – erfahren – fahren – nach•schlagen – schlagen

Die Temperatur beträgt 22 Grad.	*Die Temperatur liegt bei 22 Grad.*
Das Geld trägt dazu bei, dass …	*Das Geld hilft dabei, …*
etwas in eine Liste eintragen	*etwas in eine Liste schreiben*
mit dem Bus / Zug fahren	*den Bus / Zug benutzen*
Ich habe es aus der Zeitung erfahren.	*Die Zeitung hat mich darüber informiert.*
Er schlägt seine Frau.	*Er verprügelt seine Frau.*
ein Wort nachschlagen	*ein Wort im Wörterbuch suchen*

Besonderheiten

Vorsicht! Die Wendung **jemanden schlagen** hat zwei Bedeutungen.
z. B. Horst schlägt Moni.   → Horst greift Moni an.
   → Horst ist (z. B. beim Spiel) besser als Moni.

Tipp

Sprechen Sie die Verben beim Lernen so aus, dass sie etwas von der Bedeutung widerspiegeln. Wenn Sie zum Beispiel **tragen** lernen, denken Sie an schwere Koffer und atmen Sie, als ob Sie eine Last transportieren würden.

Eigene Notizen:

83 **treffen**

treffen – traf – getroffen

Stammvokalwechsel **e - a - o**
Vokalwechsel im Präsens (siehe S. 13) / Ausfall des
Doppelkonsonanten (siehe S. 46)

Indikativ

Präsens	Perfekt	Futur I
ich treffe	ich habe getroffen	ich werde treffen
du triffst	du hast getroffen	du wirst treffen
er trifft	er hat getroffen	er wird treffen
wir treffen	wir haben getroffen	wir werden treffen
ihr trefft	ihr habt getroffen	ihr werdet treffen
sie treffen	sie haben getroffen	sie werden treffen

Präteritum	Plusquamperfekt	Futur II
ich traf	ich hatte getroffen	ich werde getroffen haben
du trafst	du hattest getroffen	du wirst getroffen haben
er traf	er hatte getroffen	er wird getroffen haben
wir trafen	wir hatten getroffen	wir werden getroffen haben
ihr traft	ihr hattet getroffen	ihr werdet getroffen haben
sie trafen	sie hatten getroffen	sie werden getroffen haben

Konjunktiv

Präsens	Perfekt	Futur I
ich treffe	ich habe getroffen	ich werde treffen
du treffest	du habest getroffen	du werdest treffen
er treffe	er habe getroffen	er werde treffen
wir treffen	wir haben getroffen	wir werden treffen
ihr treffet	ihr habet getroffen	ihr werdet treffen
sie treffen	sie haben getroffen	sie werden treffen

Präteritum	Plusquamperfekt	Futur II
ich träfe	ich hätte getroffen	ich werde getroffen haben
du träfest	du hättest getroffen	du werdest getroffen haben
er träfe	er hätte getroffen	er werde getroffen haben
wir träfen	wir hätten getroffen	wir werden getroffen haben
ihr träfet	ihr hättet getroffen	ihr werdet getroffen haben
sie träfen	sie hätten getroffen	sie werden getroffen haben

Infinitiv	Partizip	Imperativ
Präsens	**Partizip I**	triff (du)
treffen	treffend	treffen wir
		trefft (ihr)
Perfekt	**Partizip II**	treffen Sie
getroffen haben	getroffen	

Beispiele und Wendungen

Ich treffe mich heute mit Katharina.
Der Pfeil traf die Zielscheibe genau in der Mitte.

sich mit jmdm. treffen	*sich mit jmdm. verabreden*
jmdn. zufällig treffen	*jmdn. zufällig irgendwo sehen*
eine Wahl treffen	*sich für etwas entscheiden*
auf Widerstand treffen	*auf Widerstand stoßen*
eine Entscheidung treffen	*etwas entscheiden und festlegen*
Das traf ihn sehr.	*Das hat ihn sehr traurig gemacht.*
Das trifft sich gut!	*Das passt gerade gut in den Plan.*
Dich trifft keine Schuld.	*Du bist daran nicht schuld.*

Weitere Verben

betreffen – ein•treffen – über•treffen – zu•treffen

Das betrifft alle Anwesenden.	*Das geht alle Anwesenden etwas an.*
Der Brief betrifft die Schule.	*In dem Brief geht es um die Schule.*
Der Zug trifft um zwei Uhr ein.	*Der Zug kommt um zwei Uhr an.*
jmdn. in etwas übertreffen	*in etwas besser sein als jmd. anderes*
Das trifft zu.	*Das ist wahr, das stimmt.*

Besonderheiten

Die zusammengesetzten Zeiten von **treffen** (und den Verben, die aus **-treffen** und einem Präfix bestehen) werden mit **haben** gebildet. Nur in der Kombination mit dem Präfix **ein-** (→ *eintreffen*) handelt es sich um ein Verb, das eine Bewegung beschreibt. Deshalb benutzt man bei eintreffen **sein**.

z. B.   Ich <u>habe</u> meinen Freund zufällig im Café getroffen.
        Die Filmstars <u>sind</u> am Samstag in Cannes eingetroffen.

Eigene Notizen:

Stammvokalwechsel **e – a – e**
Vokalwechsel mit Konsonantendopplung im Präsens (siehe S. 13) / **e**-Einschub (siehe S. 45)

Indikativ

Präsens	Perfekt	Futur I
ich trete	ich habe getreten	ich werde treten
du trittst	du hast getreten	du wirst treten
er tritt	er hat getreten	er wird treten
wir treten	wir haben getreten	wir werden treten
ihr tretet	ihr habt getreten	ihr werdet treten
sie treten	sie haben getreten	sie werden treten

Präteritum	Plusquamperfekt	Futur II
ich trat	ich hatte getreten	ich werde getreten haben
du tratst	du hattest getreten	du wirst getreten haben
er trat	er hatte getreten	er wird getreten haben
wir traten	wir hatten getreten	wir werden getreten haben
ihr tratet	ihr hattet getreten	ihr werdet getreten haben
sie traten	sie hatten getreten	sie werden getreten haben

Konjunktiv

Präsens	Perfekt	Futur I
ich trete	ich habe getreten	ich werde treten
du tretest	du habest getreten	du werdest treten
er trete	er habe getreten	er werde treten
wir treten	wir haben getreten	wir werden treten
ihr tretet	ihr habet getreten	ihr werdet treten
sie treten	sie haben getreten	sie werden treten

Präteritum	Plusquamperfekt	Futur II
ich träte	ich hätte getreten	ich werde getreten haben
du trätest	du hättest getreten	du werdest getreten haben
er träte	er hätte getreten	er werde getreten haben
wir träten	wir hätten getreten	wir werden getreten haben
ihr trätet	ihr hättet getreten	ihr werdet getreten haben
sie träten	sie hätten getreten	sie werden getreten haben

Infinitiv

Präsens

treten

Perfekt

getreten haben

Partizip

Partizip I

tretend

Partizip II

getreten

Imperativ

tritt (du)
treten wir
tretet (ihr)
treten Sie

Beispiele und Wendungen

Mama, das andere Kind hat mich getreten!
Bei der Tour de France treten die Fahrer kräftig in die Pedale.

jmdn. treten	*jmdn. mit dem Fuß stoßen*
den Ball treten	*den Ball kicken*
in eine Pfütze treten	*den Fuß in eine Pfütze setzen*
zur Seite treten	*einen Schritt auf die Seite gehen*
auf die Bremse treten	*bremsen*
Ein Gesetz tritt in Kraft.	*Ein Gesetz wird gültig.*

Weitere Verben

auf•treten – betreten – ein•treten – vertreten

Der Clown tritt im Zirkus auf.	*Der Clown führt etwas im Zirkus auf.*
einen Raum betreten	*in einen Raum hineingehen*
Treten Sie ein!	*Kommen Sie herein!*
für etwas / jmdn. eintreten	*sich für etwas / jmdn. einsetzen*
in einen Verein eintreten	*bei einem Verein Mitglied werden*
Wenn dieser Fall eintritt, ...	*Wenn es zu dieser Situation kommt, ...*
eine Meinung vertreten	*einer Meinung sein*
einen Kollegen vertreten	*Arbeit für einen Kollegen übernehmen*

Besonderheiten

Um zu entscheiden, ob man bei **treten** für die zusammengesetzten Zeiten *sein* oder *haben* benutzt, muss man den Sinn klären. Wenn es um die Bewegung geht, verwendet man **sein** – wenn es um den Stoß mit dem Fuß geht, **haben**.

z. B. Sie ist ins Zimmer getreten. → Richtung: *sein*
Er hat den Hund getreten. → Stoß, Tritt: *haben*

Eigene Notizen:

tun – tat – getan

Stammvokalwechsel **u – a – a**

e-Einschub (siehe S. 45)

Indikativ

Präsens	Perfekt	Futur I
ich tu(e)	ich habe getan	ich werde tun
du tust	du hast getan	du wirst tun
er tut	er hat getan	er wird tun
wir tun	wir haben getan	wir werden tun
ihr tut	ihr habt getan	ihr werdet tun
sie tun	sie haben getan	sie werden tun

Präteritum	Plusquamperfekt	Futur II
ich tat	ich hatte getan	ich werde getan haben
du tat(e)st	du hattest getan	du wirst getan haben
er tat	er hatte getan	er wird getan haben
wir taten	wir hatten getan	wir werden getan haben
ihr tatet	ihr hattet getan	ihr werdet getan haben
sie taten	sie hatten getan	sie werden getan haben

Konjunktiv

Präsens	Perfekt	Futur I
ich tue	ich habe getan	ich werde tun
du tuest	du habest getan	du werdest tun
er tue	er habe getan	er werde tun
wir tun	wir haben getan	wir werden tun
ihr tuet	ihr habet getan	ihr werdet tun
sie tun	sie haben getan	sie werden tun

Präteritum	Plusquamperfekt	Futur II
ich täte	ich hätte getan	ich werde getan haben
du tätest	du hättest getan	du werdest getan haben
er täte	er hätte getan	er werde getan haben
wir täten	wir hätten getan	wir werden getan haben
ihr tätet	ihr hättet getan	ihr werdet getan haben
sie täten	sie hätten getan	sie werden getan haben

Infinitiv	Partizip	Imperativ
Präsens	**Partizip I**	tu(e) (du)
tun	tuend	tun wir
Perfekt	**Partizip II**	tut (ihr)
getan haben	getan	tun Sie

Beispiele und Wendungen

Was tust du hier?
Wenn wir etwas ändern wollen, müssen wir auch etwas dafür tun.

etwas tun	*etwas machen, eine Tätigkeit ausüben*
jmdm. etwas tun	*jmdm. Schaden zufügen*
jmdm. einen Gefallen tun	*etwas jmdm. zuliebe tun*
Tu doch nicht so!	*Verhalte dich normal!*
Damit habe ich nichts zu tun.	*Daran bin ich nicht beteiligt / Schuld.*

Weitere Verben

an·tun – gut tun – Leid tun – weh·tun

sich etwas antun	*sich selbst Schaden zufügen*
Das kannst du mir nicht antun!	*Wenn du das machst, verletzt du mich.*
Mein Kopf tut weh.	*Ich habe Kopfschmerzen.*
Er hat ihr sehr wehgetan.	*Er hat sie sehr traurig gemacht.*
Das hat mir gut getan.	*Das war gut für mich.*
Es tut mir Leid.	*Ich entschuldige mich für etwas.*
jmd. tut mir Leid	*Ich bemitleide jmdn.*
Das wird dir noch Leid tun!	*Das wirst du bereuen!*

Besonderheiten

sich etwas antun heißt wörtlich, dass sich jemand selbst einen Schaden zufügt. Häufig steht es in der Bedeutung von *sich umbringen*.
z. B. Er stand auf der Brücke und sah aus, als wolle er sich etwas antun.

Obwohl die korrekte Form von **tun** im Präsens „ich tue" lautet, verwendet man im gesprochenen Deutsch meist die kürzere Variante „ich tu".
z. B. Keine Angst, ich tu dir nichts!

Eigene Notizen:

verlieren – verlor – verloren

Indikativ

Präsens	Perfekt	Futur I
ich verliere	ich habe verloren	ich werde verlieren
du verlierst	du hast verloren	du wirst verlieren
er verliert	er hat verloren	er wird verlieren
wir verlieren	wir haben verloren	wir werden verlieren
ihr verliert	ihr habt verloren	ihr werdet verlieren
sie verlieren	sie haben verloren	sie werden verlieren

Präteritum	Plusquamperfekt	Futur II
ich verlor	ich hatte verloren	ich werde verloren haben
du verlorst	du hattest verloren	du wirst verloren haben
er verlor	er hatte verloren	er wird verloren haben
wir verloren	wir hatten verloren	wir werden verloren haben
ihr verlort	ihr hattet verloren	ihr werdet verloren haben
sie verloren	sie hatten verloren	sie werden verloren haben

Konjunktiv

Präsens	Perfekt	Futur I
ich verliere	ich habe verloren	ich werde verlieren
du verlierest	du habest verloren	du werdest verlieren
er verliere	er habe verloren	er werde verlieren
wir verlieren	wir haben verloren	wir werden verlieren
ihr verlieret	ihr habet verloren	ihr werdet verlieren
sie verlieren	sie haben verloren	sie werden verlieren

Präteritum	Plusquamperfekt	Futur II
ich verlöre	ich hätte verloren	ich werde verloren haben
du verlörest	du hättest verloren	du werdest verloren haben
er verlöre	er hätte verloren	er werde verloren haben
wir verlören	wir hätten verloren	wir werden verloren haben
ihr verlöret	ihr hättet verloren	ihr werdet verloren haben
sie verlören	sie hätten verloren	sie werden verloren haben

Infinitiv

Präsens

verlieren

Perfekt

verloren haben

Partizip

Partizip I

verlierend

Partizip II

verloren

Imperativ

verlier(e) (du)
verlieren wir
verliert (ihr)
verlieren Sie

Beispiele und Wendungen

Er hat beim Poker viel Geld verloren.
Der FC Bayern München hat gestern das Spiel verloren.
Ich verliere ständig Schals, Regenschirme und Handschuhe.

eine Tasche verlieren	*eine Tasche liegen oder fallen lassen, ohne es zu merken*
ein Spiel verlieren	*bei einem Spiel schlechter sein*
Geld verlieren	*finanziellen Verlust machen*
den Job verlieren	*arbeitslos werden*
die Geduld verlieren	*ungeduldig werden*

Weitere Verben

ein•frieren – erfrieren – frieren – gefrieren

Frierst du?	*Ist dir kalt?*
den Kuchen einfrieren	*den Kuchen im Tiefkühler aufbewahren*
jmd. erfriert	*jmd. stirbt durch die Kälte*
Meine Balkonpflanzen sind erfroren.	*Meine Balkonpflanzen sind durch die Kälte kaputt gegangen.*
Im Winter gefriert der See.	*Im Winter wird der See zu Eis.*

Tipp

Was haben Sie schon *verloren*? Und was **verlieren** andere öfters? Schreiben Sie Sätze – so üben Sie dieses Wort am besten!

z. B. Ich verliere oft die Schlüssel. Meine Schwester hat ein Buch verloren.

Merken Sie sich Verben, die gleich konjugiert werden in Reimen.

z. B. Leute, die den Schal **verlieren**, müssen oft im Winter **frieren**.

Eigene Notizen:

Stammvokalwechsel **a - u - a**

Vokalwechsel im Präsens (siehe S. 13)

Indikativ

Präsens	Perfekt	Futur I
ich wasche	ich habe gewaschen	ich werde waschen
du wäschst	du hast gewaschen	du wirst waschen
er wäscht	er hat gewaschen	er wird waschen
wir waschen	wir haben gewaschen	wir werden waschen
ihr wascht	ihr habt gewaschen	ihr werdet waschen
sie waschen	sie haben gewaschen	sie werden waschen

Präteritum	Plusquamperfekt	Futur II
ich wusch	ich hatte gewaschen	ich werde gewaschen haben
du wuschst	du hattest gewaschen	du wirst gewaschen haben
er wusch	er hatte gewaschen	er wird gewaschen haben
wir wuschen	wir hatten gewaschen	wir werden gewaschen haben
ihr wuscht	ihr hattet gewaschen	ihr werdet gewaschen haben
sie wuschen	sie hatten gewaschen	sie werden gewaschen haben

Konjunktiv

Präsens	Perfekt	Futur I
ich wasche	ich habe gewaschen	ich werde waschen
du waschest	du habest gewaschen	du werdest waschen
er wasche	er habe gewaschen	er werde waschen
wir waschen	wir haben gewaschen	wir werden waschen
ihr waschet	ihr habet gewaschen	ihr werdet waschen
sie waschen	sie haben gewaschen	sie werden waschen

Präteritum	Plusquamperfekt	Futur II
ich wüsche	ich hätte gewaschen	ich werde gewaschen haben
du wüschest	du hättest gewaschen	du werdest gewaschen haben
er wüsche	er hätte gewaschen	er werde gewaschen haben
wir wüschen	wir hätten gewaschen	wir werden gewaschen haben
ihr wüschet	ihr hättet gewaschen	ihr werdet gewaschen haben
sie wüschen	sie hätten gewaschen	sie werden gewaschen haben

Infinitiv

Präsens

waschen

Perfekt

gewaschen haben

Partizip

Partizip I

waschend

Partizip II

gewaschen

Imperativ

wasch(e) (du)
waschen wir
wascht (ihr)
waschen Sie

Beispiele und Wendungen

Du wäschst dir die Hände.
Die Kleider sind alle schmutzig, ich muss heute waschen.

Wäsche waschen	*Wäsche in die Maschine geben*
sich das Gesicht waschen	*sich das Gesicht mit Wasser reinigen*
ein Kind waschen	*ein Kind mit Wasser und Seife reinigen*
den Salat waschen	*den Salat unter Wasser abspülen*
das Auto waschen	*das Auto putzen*
sich kalt waschen	*sich mit kaltem Wasser reinigen*

Weitere Verben

ab•waschen – auf•wachsen – wachsen

das Geschirr abwaschen	*das Geschirr spülen / reinigen*
Ich muss noch abwaschen.	*Ich muss noch das Geschirr spülen.*
Sie ist drei Zentimeter gewachsen.	*Sie ist drei Zentimeter größer geworden.*
Die Zahlen wachsen ständig.	*Die Anzahl wird ständig mehr.*
Wo bist du aufgewachsen?	*Wo hast du als Kind gelebt?*

Besonderheiten

Wenn man **waschen** für die eigene Körperpflege verwendet, benutzt man es reflexiv.
z. B. Ich wasche <u>mich</u>.   aber   Ich wasche <u>ihm</u> die Haare.

Vorsicht – **waschen** kann man leicht mit dem Verb *wachsen* verwechseln! *Wachsen*
bedeutet, größer zu werden oder einen Gegenstand mit Wachs zu bestreichen und wird
regelmäßig (→ Nr. 4) konjugiert.

z. B. Er wachst seine Wanderschuhe regelmäßig.
        Meine Pflanzen wachsen sehr schnell.

Eigene Notizen:

88 **wiegen**

wiegen – wog – gewogen

Indikativ

Präsens	Perfekt	Futur I
ich wiege	ich habe gewogen	ich werde wiegen
du wiegst	du hast gewogen	du wirst wiegen
er wiegt	er hat gewogen	er wird wiegen
wir wiegen	wir haben gewogen	wir werden wiegen
ihr wiegt	ihr habt gewogen	ihr werdet wiegen
sie wiegen	sie haben gewogen	sie werden wiegen

Präteritum	Plusquamperfekt	Futur II
ich wog	ich hatte gewogen	ich werde gewogen haben
du wogst	du hattest gewogen	du wirst gewogen haben
er wog	er hatte gewogen	er wird gewogen haben
wir wogen	wir hatten gewogen	wir werden gewogen haben
ihr wogt	ihr hattet gewogen	ihr werdet gewogen haben
sie wogen	sie hatten gewogen	sie werden gewogen haben

Konjunktiv

Präsens	Perfekt	Futur I
ich wiege	ich habe gewogen	ich werde wiegen
du wiegest	du habest gewogen	du werdest wiegen
er wiege	er habe gewogen	er werde wiegen
wir wiegen	wir haben gewogen	wir werden wiegen
ihr wieget	ihr habet gewogen	ihr werdet wiegen
sie wiegen	sie haben gewogen	sie werden wiegen

Präteritum	Plusquamperfekt	Futur II
ich wöge	ich hätte gewogen	ich werde gewogen haben
du wögest	du hättest gewogen	du werdest gewogen haben
er wöge	er hätte gewogen	er werde gewogen haben
wir wögen	wir hätten gewogen	wir werden gewogen haben
ihr wöget	ihr hättet gewogen	ihr werdet gewogen haben
sie wögen	sie hätten gewogen	sie werden gewogen haben

Infinitiv

Präsens

wiegen

Perfekt

gewogen haben

Partizip

Partizip I

wiegend

Partizip II

gewogen

Imperativ

wieg(e) (du)
wiegen wir
wiegt (ihr)
wiegen Sie

Beispiele und Wendungen

Paul wog bei seiner Geburt 3490 Gramm.
Die Marktfrau wiegt die Kartoffeln und packt sie in eine Tüte.

Wie viel wiegen Sie?	*Wie schwer sind Sie?*
Er wiegt sich täglich.	*Er überprüft täglich sein Gewicht auf der Waage.*
Der Koffer wiegt fast 15 Kilo.	*Der Koffer hat ein Gewicht von 15 Kilo.*

Weitere Verben

ab·biegen – auf·schieben – fliegen – schieben – überfliegen – verbiegen

nach Amerika fliegen	*mit dem Flugzeug nach Amerika reisen*
Die Zeit fliegt.	*Die Zeit vergeht sehr schnell.*
einen Text überfliegen	*einen Text schnell durchlesen*
einen Einkaufswagen schieben	*einen Einkaufswagen durch Druck vorwärts bewegen*
eine Aufgabe aufschieben	*eine Aufgabe nicht sofort erledigen*
einen Termin aufschieben	*einen Termin auf später verlegen*
an der Kreuzung links abbiegen	*an der Kreuzung links fahren/gehen*
etwas verbiegt sich	*etwas wird krumm / bogenförmig*
einen Löffel verbiegen	*einen Löffel knicken / verformen*

Besonderheiten

Nicht verwechseln! Es gibt ein weiteres Verb, das im Infinitiv **wiegen** heißt. Es bedeutet, zu schaukeln, oder schwankende, wellenförmige Bewegungen zu machen. Dieses Verb wird regelmäßig (→ Nr. 4) konjugiert.

z. B. Sie wiegt das Kind in ihren Armen.	*Sie schaukelt das Kind in den Armen.*
Das Gras wiegt sich im Wind.	*Das Gras wird vom Wind bewegt.*

Eigene Notizen:

Stammvokalwechsel **i – u – u**
Vokalwechsel im Präsens (siehe S. 13) mit Ausfall
des Doppelkonsonanten / **s**-Ausfall (siehe S. 45)

Indikativ

Präsens

ich weiß
du weißt
er weiß
wir wissen
ihr wisst
sie wissen

Perfekt

ich habe gewusst
du hast gewusst
er hat gewusst
wir haben gewusst
ihr habt gewusst
sie haben gewusst

Futur I

ich werde wissen
du wirst wissen
er wird wissen
wir werden wissen
ihr werdet wissen
sie werden wissen

Präteritum

ich wusste
du wusstest
er wusste
wir wussten
ihr wusstet
sie wussten

Plusquamperfekt

ich hatte gewusst
du hattest gewusst
er hatte gewusst
wir hatten gewusst
ihr hattet gewusst
sie hatten gewusst

Futur II

ich werde gewusst haben
du wirst gewusst haben
er wird gewusst haben
wir werden gewusst haben
ihr werdet gewusst haben
sie werden gewusst haben

Konjunktiv

Präsens

ich wisse
du wissest
er wisse
wir wissen
ihr wisset
sie wissen

Perfekt

ich habe gewusst
du habest gewusst
er habe gewusst
wir haben gewusst
ihr habet gewusst
sie haben gewusst

Futur I

ich werde wissen
du werdest wissen
er werde wissen
wir werden wissen
ihr werdet wissen
sie werden wissen

Präteritum

ich wüsste
du wüsstest
er wüsste
wir wüssten
ihr wüsstet
sie wüssten

Plusquamperfekt

ich hätte gewusst
du hättest gewusst
er hätte gewusst
wir hätten gewusst
ihr hättet gewusst
sie hätten gewusst

Futur II

ich werde gewusst haben
du werdest gewusst haben
er werde gewusst haben
wir werden gewusst haben
ihr werdet gewusst haben
sie werden gewusst haben

Infinitiv

Präsens

wissen

Perfekt

gewusst haben

Partizip

Partizip I

wissend

Partizip II

gewusst

Imperativ

wisse (du)
wissen wir
wisst (ihr)
wissen Sie

Beispiele und Wendungen

Er weiß die Antwort.
Wissen Sie, wo der Bahnhof ist?
Weißt du noch, was du letzte Woche versprochen hast?

die Antwort wissen	*die Antwort auf etwas kennen*
keinen Rat wissen	*keine Idee haben, was man tun könnte*
etwas auswendig wissen	*etwas auswendig wiedergeben können*
wissen, wie etwas funktioniert	*eine Funktion erklären können*
Sie wusste von seinen Problemen.	*Ihr waren seine Probleme bekannt.*
Er weiß alles über Katzen.	*Er hat großes Wissen über Katzen.*
Sie weiß damit umzugehen.	*Sie kann gut damit umgehen.*
Man muss wissen, dass ...	*Es ist eine wichtige Information, dass ...*
Er weiß immer alles besser.	*Er will immer Recht haben.*
Das habe ich nicht gewusst.	*Das war mir nicht klar.*
Ich weiß nicht so recht.	*Ich bin mir nicht sicher.*
Was weiß ich!	*Ich habe keine Ahnung.*
Sie will nichts mehr von ihm wissen.	*Sie will mit ihm nichts mehr zu tun haben.*
Davon will ich nichts wissen.	*Damit will ich nichts zu tun haben.*
Weißt du was? Ich habe eine Idee.	*Pass auf, ich habe einen Vorschlag.*

Tipp

wissen ist ein sehr wichtiges Verb, das aber eine Menge Probleme machen kann, da es zu sehr vielen Wechseln bei den Vokalen und der **ss/ß**-Schreibung kommt.
Üben Sie die Formen, indem Sie Sätze bilden, die sie schreiben und laut vorlesen. Damit üben Sie dann gleichzeitig die Aussprache und die Rechtschreibung.

Eigene Notizen:

wollen – wollte – gewollt

Indikativ

Präsens	Perfekt	Futur I
ich will	ich habe gewollt	ich werde wollen
du willst	du hast gewollt	du wirst wollen
er will	er hat gewollt	er wird wollen
wir wollen	wir haben gewollt	wir werden wollen
ihr wollt	ihr habt gewollt	ihr werdet wollen
sie wollen	sie haben gewollt	sie werden wollen

Präteritum	Plusquamperfekt	Futur II
ich wollte	ich hatte gewollt	ich werde gewollt haben
du wolltest	du hattest gewollt	du wirst gewollt haben
er wollte	er hatte gewollt	er wird gewollt haben
wir wollten	wir hatten gewollt	wir werden gewollt haben
ihr wolltet	ihr hattet gewollt	ihr werdet gewollt haben
sie wollten	sie hatten gewollt	sie werden gewollt haben

Konjunktiv

Präsens	Perfekt	Futur I
ich wolle	ich habe gewollt	ich werde wollen
du wollest	du habest gewollt	du werdest wollen
er wolle	er habe gewollt	er werde wollen
wir wollen	wir haben gewollt	wir werden wollen
ihr wollet	ihr habet gewollt	ihr werdet wollen
sie wollen	sie haben gewollt	sie werden wollen

Präteritum	Plusquamperfekt	Futur II
ich wollte	ich hätte gewollt	ich werde gewollt haben
du wolltest	du hättest gewollt	du werdest gewollt haben
er wollte	er hätte gewollt	er werde gewollt haben
wir wollten	wir hätten gewollt	wir werden gewollt haben
ihr wolltet	ihr hättet gewollt	ihr werdet gewollt haben
sie wollten	sie hätten gewollt	sie werden gewollt haben

Infinitiv	Partizip	Imperativ
Präsens	**Partizip I**	—
wollen	wollend	—
		—
Perfekt	**Partizip II**	—
gewollt haben	gewollt	

wollen

Beispiele und Wendungen

Sie will ein neues Auto.
Er wollte gerade zur Tür gehen, als das Telefon klingelte.

Was hat er denn gewollt?	*Was war denn sein Wunsch?*
Er wollte schon immer nach Panama.	*Er wünschte sich schon immer, einmal nach Panama zu reisen.*
etwas tun wollen	*beabsichtigen, etwas zu tun*
ein Haus wollen	*den Wunsch haben, ein Haus zu besitzen*
Die Beine wollen nicht mehr.	*Die Beine sind alt / müde.*
Was willst du jetzt machen?	*Was hast du jetzt vor?*
Sie will ihn gestern gesehen haben.	*Sie behauptet, ihn gestern gesehen zu haben.*

Besonderheiten

Je nach Zusammenhang kann **wollen** bedeuten, dass jemand etwas gerne hätte, oder dass jemand beabsichtigt, etwas zu tun.

z. B. Er will ein Lied hören. → Er würde gerne ein Lied hören.
      Er will ein Lied singen. → Er beabsichtigt, ein Lied zu singen.

Die Formulierung „**Ich wollte nur fragen ...**" verwendet man häufig, um eine Bitte oder Frage möglichst höflich und weniger dringend erscheinen zu lassen.
z. B. Ich wollte nur fragen, ob ich auch morgen kommen kann.
     → Kann ich auch morgen kommen?

Wenn **wollen** im Satz gemeinsam mit einem anderen Verb steht, verwendet man in den zusammengesetzten Zeiten den Infinitiv *wollen* anstelle des Partizips *gewollt*.

Eigene Notizen:

ziehen – zog – gezogen

Stammvokalwechsel **ie - o - o**

Konsonantenwechsel **h → g**

Indikativ

Präsens	Perfekt	Futur I
ich ziehe	ich habe gezogen	ich werde ziehen
du ziehst	du hast gezogen	du wirst ziehen
er zieht	er hat gezogen	er wird ziehen
wir ziehen	wir haben gezogen	wir werden ziehen
ihr zieht	ihr habt gezogen	ihr werdet ziehen
sie ziehen	sie haben gezogen	sie werden ziehen

Präteritum	Plusquamperfekt	Futur II
ich zog	ich hatte gezogen	ich werde gezogen haben
du zogst	du hattest gezogen	du wirst gezogen haben
er zog	er hatte gezogen	er wird gezogen haben
wir zogen	wir hatten gezogen	wir werden gezogen haben
ihr zogt	ihr hattet gezogen	ihr werdet gezogen haben
sie zogen	sie hatten gezogen	sie werden gezogen haben

Konjunktiv

Präsens	Perfekt	Futur I
ich ziehe	ich habe gezogen	ich werde ziehen
du ziehest	du habest gezogen	du werdest ziehen
er ziehe	er habe gezogen	er werde ziehen
wir ziehen	wir haben gezogen	wir werden ziehen
ihr ziehet	ihr habet gezogen	ihr werdet ziehen
sie ziehen	sie haben gezogen	sie werden ziehen

Präteritum	Plusquamperfekt	Futur II
ich zöge	ich hätte gezogen	ich werde gezogen haben
du zögest	du hättest gezogen	du werdest gezogen haben
er zöge	er hätte gezogen	er werde gezogen haben
wir zögen	wir hätten gezogen	wir werden gezogen haben
ihr zöget	ihr hättet gezogen	ihr werdet gezogen haben
sie zögen	sie hätten gezogen	sie werden gezogen haben

Infinitiv

Präsens

ziehen

Perfekt

gezogen haben/sein

Partizip

Partizip I

ziehend

Partizip II

gezogen

Imperativ

zieh(e) (du)
ziehen wir
zieht (ihr)
ziehen Sie

Beispiele und Wendungen

Dieser Wagen zieht einen schweren Anhänger.
Die Helfer zogen den Verletzten aus dem brennenden Autowrack.

eine Last ziehen	*eine Last durch Kraft von vorne vorwärts bewegen*
eine Karte ziehen	*beim Kartenspiel eine Karte nehmen*
einen Zahn ziehen	*einen Zahn aus dem Mund entfernen*
Die Fahrt zieht sich.	*Die Fahrt dauert sehr lang.*
Hier zieht es.	*Es gibt hier einen starken Luftzug.*
in ein anderes Land ziehen	*in ein anderes Land auswandern*
in eine neue Wohnung ziehen	*beginnen, in einer Wohnung zu wohnen*
Es zieht sie immer ans Meer.	*Sie hat oft Sehnsucht nach dem Meer.*

Weitere Verben

an•ziehen – auf•ziehen – aus•ziehen – sich beziehen – entziehen – erziehen

eine Jacke anziehen	*sich mit einer Jacke bekleiden*
Sie zieht die Männer magisch an.	*Sie wirkt auf Männer sehr attraktiv.*
Welpen aufziehen	*junge Hunde pflegen, bis sie groß sind*
ein Kleid ausziehen	*ein Kleid ablegen*
aus einem Haus ausziehen	*aufhören, in einem Haus zu wohnen*
Das bezieht sich auf ...	*Das hängt mit ... zusammen.*
ein Kind erziehen	*ein Kind versorgen und belehren*

Tipp

Erweitern Sie Ihren Wortschatz: Nomen aus Wörtern mit **-ziehen** werden oft mit *-zug* oder *-ziehung* gebildet. Schlagen Sie die Bedeutungen nach!
z. B. der An<u>zug</u> – die An<u>ziehung</u> – der Ent<u>zug</u> – die Er<u>ziehung</u>

Eigene Notizen:

Regelmäßige und unregelmäßige Verben mit Besonderheiten

Nachfolgende Verben weisen Abweichungen von der regelmäßigen Konjugation auf. Die unter dem Infinitiv stehende Zahl verweist auf das zugrunde liegende vollständige Konjugationsmuster.

Wechselnde Stammvokale und Besonderheiten bei der Verwendung von *sein* bzw. von *haben* und *sein* sind grün hervorgehoben. Bedeutungsgleiche regelmäßige und unregelmäßige Formen sind durch Schrägstrich getrennt, Formen mit unterschiedlicher Bedeutung sind durch eine punktierte Linie voneinander abgesetzt. In der Spalte „Anmerkungen" finden Sie spezielle Informationen und helfende Hinweise. Zusätzlich werden dort Imperativformen angegeben, wenn diese wie das Präsens den Vokal wechseln (**e, ä → i, ie**). Lautliche Besonderheiten werden nur angeführt, wenn sie nicht in der Konjugation des Musterverbs auftreten.

Bedeutung der verwendeten Abkürzungen und Symbole

⇑	Verweis auf vollständiges Konjugationsmuster
↑	Bedeutungsunterschied zwischen unregelmäßigen und regelmäßigen Formen bzw. bei der Verwendung von *haben* oder *sein*; Details siehe Wörterbuch
e-Einschub	Einfügen von **-e-** in der 2. und 3. Person Singular Präsens und in Präteritumsformen (siehe S. 44 und 45)
s-Ausfall	Wegfall des **-s-** in der Endung der 2. Person Singular Präsens (siehe S. 44)
K → KK	Konsonant wird beim Wechsel von langem zu kurzem Stammvokal verdoppelt (siehe S. 46)
KK → K	Aus einem Doppelkonsonanten wird beim Wechsel von kurzem zu langem Stammvokal ein einfacher Konsonant (siehe S. 46)
Vokalwechsel	Vokalwechsel im Präsens (siehe S. 13)

	Infinitiv	Präsens	Präteritum	Perfekt	Konjunktiv II	Anmerkungen
92	**backen** ⇑ 87/4	ich backe du bäckst / backst du backst	du bukst* / backtest du backtest	hat gebacken hat gebackt	du bükest* / backtest du backtest	* veraltet
93	**dingen** ⇑ 5/4	ich dinge du dingst	du dangst* / dingtest	hat gedungen / gedingt*	du dängest* / dingtest	* selten
94	**dünken** ⇑ 4	mich/mir* dünkt	mich/mir dünkte / deuchte**	hat gedünkt / gedeucht**	—	nur unpersönlich * seltener; ** veraltet

	Infinitiv	Präsens	Präteritum	Perfekt	Konjunktiv II	Anmerkungen
95	**erkiesen** ⇒ 86/4	ich erkiese du erkies(es)t	du erkorst / erkiestest	hat erkoren	—	nur noch Präteritum und Partizip II gebräuchlich
96	**erlöschen** ⇒ 71	ich erlösche du erlischst	du erloschst*	ist erloschen*	du erlöschest	Vokalwechsel; * kurzes o im Präteritum und Partizip II; erlisch! → 📖
97	**gären** ⇒ 31/4	ich gäre du gärst du gärst	du gorst / gärtest du gärtest	hat/ist gegoren hat/ist gegärt	du görest / gärtest du gärtest	
98	**gebären** ⇒ 5	ich gebäre du gebärst/gebierst*	du gebarst	hat geboren	du gebärest	* gehobene Sprache; Vokalwechsel; gebäre!/gebier!*
99	**genesen** ⇒ 55	ich genese du genest	du genasest	ist genesen	du genäsest	
100	**glimmen** ⇒ 5/4	ich glimme du glimmst	du glommst / glimmtest	hat geglommen / geglimmt	du glömmest / glimmtest	
101	**hauen** ⇒ 4	ich haue du haust	du hautest / hiebst*	hat gehauen / gehaut**	du hautest	* gehobene Sprache; ** regionale Variante
102	**klimmen** ⇒ 5/4	ich klimme du klimmst	du klommst / klimmtest	ist geklommen / geklimmt	du klömmest / klimmtest	
103	**mahlen** ⇒ 4	ich mahle du mahlst	du mahltest	hat gemahlen	du mahltest	
104	**melken** ⇒ 29/4	ich melke du milkst* / melkst	du molkst* / melktest	hat gemolken / gemelkt	du mölkest* / melktest	*selten; milk!* / melk(e)!

	Infinitiv	Präsens	Präteritum	Perfekt	Konjunktiv II	Anmerkungen
105	**pflegen** ⇒ 4 / 44	ich pflege du pflegst du pflegst	du pflegtest du pflogst	hat gepflegt hat gepflogen	du pflegtest du pflögest	↑ 📖
106	**quellen** ⇒ 29 / 4	ich quelle du quillst du quellst	du quollst du quelltest	ist gequollen hat gequellt	du quöllest du quelltest	quill! ↑ 📖; quell(e)!
107	**salzen** ⇒ 4	ich salze du salzt	du salztest	hat gesalzen	du salztest	**s**-Ausfall
108	**schaffen** ⇒ 87 / 4	ich schaffe du schaffst du schaffst	du schufst du schafftest	hat geschaffen hat geschafft	du schüfest du schafftest	kein Vokalwechsel; KK → K
109	**schallen** ⇒ 5 / 4	ich schalle du schallst	du schollst* / schalltest	hat geschallt	du schöllest* / schalltest	* selten
110	**scheren** ⇒ 44 / 4	ich schere du scherst du scherst	du schorst / schertest* du schertest	hat geschoren / geschert* hat geschert	du schörest / schertest* du schertest	* selten
111	**schinden** ⇒ 5 / 4	ich schinde du schindest	du schundest / schindetest*	hat geschunden	du schündest / schindetest*	↑ 📖
112	**schleißen** ⇒ 20 / 4	ich schleiße du schleißt	du schlissest / schleißtest	hat geschlissen / geschleißt	du schlissest / schleißtest	**e**-Einschub; * selten
113	**schnauben** ⇒ 67 / 4	ich schnaube du schnaubst	du schnobst* / schnaubtest	hat geschnoben* / geschnaubt	du schnöbest* / schnaubtest	* selten

Infinitiv	Präsens	Präteritum	Perfekt	Konjunktiv II	Anmerkungen
114 **schrecken** ⇨ 30/4	ich schrecke du schrickst/schreckst du schreckst	du schrakst/schreckst du schreckst	hat geschreckt hat geschreckt	du schräkest/schrick!/schrecke! schrecktest du schreckest	→ ▢; schrecke!
115 **schwellen** ⇨ 29/4	ich schwelle du schwillst du schwellst	du schwollst schwelltest	ist geschwollen hat geschwellt	du schwöllest du schwelltest	schwill! → ▢; schwell(e)!
116 **spalten** ⇨ 4	ich spalte du spaltest	du spaltetest	hat gespalten	du spaltetest	**e**-Einschub
117 **stecken** ⇨ 30/4	ich stecke du steckst du steckst	du stecktest du stakst*/stecktest	hat gesteckt hat gesteckt	du stecktest du stäkest*/stecktest	kein Vokalwechsel → ▢; * gehobene Sprache
118 **triefen** ⇨ 64/4	ich triefe du triefst	du troffst*/trieftest	hat getroffen*/getrieft	du tröffest*/trieftest	K → KK; * gehobene Sprache
119 **weben** ⇨ 44/4	ich webe du webst du webst	du wobst du webtest	hat gewoben hat gewebt	du wöbest du webtest	→ ▢

Verben mit Präposition

Viele Verben treten mit bestimmten Präpositionen auf. Manche Verben verlangen immer dieselbe Präposition, andere können mit verschiedenen Präpositionen stehen. In diesem Fall verändert die jeweilige Präposition die Bedeutung des Verbs.
Hier sehen Sie eine Liste der wichtigsten Kombinationen.

(A)   – die Präposition verlangt einen Akkusativ
(D)   – die Präposition verlangt einen Dativ
(N)   – die Präposition verlangt einen Nominativ

abhängen **von** (D)	– *Unsere Wanderung hängt vom Wetter ab.*
achten **auf** (A)	– *Achte auf die rote Ampel!*
anfangen **mit** (D)	– *Wir können morgen mit dem Umzug anfangen.*
ankommen **auf** (A)	– *Es kommt auf die Uhrzeit an.*
sich anpassen **an** (A)	– *Du musst dich an die neue Mode anpassen.*
anrufen **bei** (D)	– *Du sollst bei Tom anrufen.*
arbeiten **an** (D)	– *Ich arbeite an einem neuen Buch.*
sich ärgern **über** (A)	– *Ich ärgere mich über das schlechte Wetter.*
auffordern **zu** (D)	– *Ich möchte dich zum Tanzen auffordern.*
aufhören **mit** (D)	– *Du musst mit dem Rauchen aufhören.*
aufpassen **auf** (A)	– *Die Mutter muss auf ihre Kinder aufpassen.*
sich aufregen **über** (A)	– *Sie regt sich immer über den Lärm auf.*
ausgehen **von** (D)	– *Er geht von hohen Kosten für das Projekt aus.*
sich bedanken **für** (A)	– *Paul bedankt sich bei Lisa für die Hilfe.*
sich befassen **mit** (D)	– *Das Buch befasst sich mit den Verben.*
sich befreien **von** (D)	– *Sie muss sich von der Last befreien.*
beginnen **mit** (D)	– *Wir beginnen mit den Vokabeln.*
beitragen **zu** (D)	– *Jeder kann etwas zur Diskussion beitragen.*
sich beklagen **über** (A)	– *Anna beklagt sich immer über das Wetter.*
sich bemühen **um** (A)	– *Ich bemühe mich stets um Klarheit.*
berichten **über** (A)	– *Die Journalisten berichten über den Unfall.*
beruhen **auf** (D)	– *Das Urteil beruht auf Beweisen.*
sich beschäftigen **mit** (D)	– *Ich beschäftige mich mit den Verben.*
sich beschweren **über** (A)	– *Der Vater beschwert sich über die Kinder.*
bestehen **auf** (D)	– *Sie besteht auf ihrem Recht.*
bestehen **aus** (D)	– *Die Gruppe besteht aus vier Personen.*
sich bewerben **um** (A)	– *Tina kann sich um den Job bewerben.*
sich beziehen **auf** (A)	– *Dieser Satz bezieht sich auf die letzte Seite.*
bitten **um** (A)	– *Ich bitte dich um Entschuldigung.*

danken **für** (A)	– *Wir danken dafür, dass sie gekommen sind.*
denken **an** (A)	– *Denkst du an den Termin heute abend?*
dienen **zu** (D)	– *Dieses Gerät dient zum Schneiden von Glas.*
diskutieren **über** (A)	– *Sie diskutieren oft über die Politik.*
sich eignen **für** (A)	– *Anna eignet sich sehr gut für den Job.*
einladen **zu** (D)	– *Tom hat mich gestern zum Essen eingeladen.*
sich einsetzen **für** (A)	– *Die Schüler setzten sich für Tiere ein.*
einverstanden sein **mit** (D)	– *Bist du mit der Entscheidung einverstanden?*
sich entscheiden **für** (A)	– *Ich entscheide mich für ein rotes Kleid.*
sich entschuldigen **für** (A)	– *Bernd entschuldigt sich für die Verspätung.*
sich erholen **von** (D)	– *Er muss sich noch von dem Schock erholen.*
sich erinnern **an** (A)	– *Sie kann sich an nichts mehr erinnern.*
erkennen **an** (D)	– *Timo erkennst du an den roten Haaren.*
erkranken **an** (D)	– *Die Nachbarin ist an Krebs erkrankt.*
sich erkundigen **nach** (D)	– *Florian hat sich nach dir erkundigt.*
erschrecken **vor** (D)	– *Er erschrak vor dem Gespenst.*
erzählen **von** (D)	– *Wir haben ihr von dem Haus erzählt.*
experimentieren **mit** (D)	– *Der Maler experimentiert mit neuen Farben.*
fehlen **an** (D)	– *Den Kindern fehlt es an nichts.*
fragen **nach** (D)	– *Die Nachbarin hat nach dir gefragt.*
sich freuen **auf** (A)	– *Wir freuen uns alle auf den Urlaub.*
sich freuen **über** (A)	– *Sie freuen sich sehr über die Geschenke.*
führen **zu** (D)	– *Das führte zu einem heftigen Streit.*
sich fürchten **vor** (D)	– *Elefanten fürchten sich vor Mäusen.*
garantieren **für** (A)	– *Unsere Firma garantiert für höchste Qualität.*
gehen **um** (A)	– *Es geht hier um Leben oder Tod.*
gehören **zu** (D)	– *Anna gehört auch zu unserer Gruppe.*
gelten **als** (N)	– *In diesem Spiel gelten sie als Favoriten.*
gelten **für** (A)	– *Das gilt auch für dich!*
geraten **in** (A)	– *Die Forscher gerieten in einen Schneesturm.*
sich gewöhnen **an** (A)	– *Wir haben uns an das neue Auto bereits gewöhnt.*
glauben **an** (A)	– *Wir glauben nicht an Geister.*
halten **für** (A)	– *Ich halte dich für sehr intelligent.*
halten **von** (D)	– *Was hältst du von der neuen Lehrerin?*
sich halten **an** (A)	– *Wir müssen uns an Regeln halten.*
sich handeln **um** (A)	– *Es handelt sich um eine schwierige Situation.*

hinweisen **auf** (A) — *Er möchte auf das Verbot hinweisen.*
hoffen **auf** (A) — *Sie hoffen auf eine Lösung.*

informieren **über** (A) — *Man muss sich über das Gesetz informieren.*
sich interessieren **für** (A) — *Rebecca interessiert sich für Pferde.*
sich irren **in** (D) — *In diesem Punkt irrst du dich gewaltig.*

kämpfen **gegen** (A) — *Die Soldaten kämpfen gegen die Feinde.*
kämpfen **mit** (D) — *Sie hat mit der Situation zu kämpfen.*
kämpfen **um** (A) — *Er kämpft um ihre Liebe.*
klagen **gegen** (A) — *Wir werden gegen die Nachbarn klagen.*
klagen **über** (A) — *Tina klagt über große Schmerzen.*
sich konzentrieren **auf** (A) — *Ich muss mich jetzt auf die Sache konzentrieren.*
sich kümmern **um** (A) — *Das Tierheim kümmert sich um viele Tiere.*

lachen **über** (A) — *Über so viel Dummheit kann man nur lachen!*
leiden **an** (D) — *Sie leidet an einer Grippe.*
leiden **unter** (D) — *Er leidet unter dem Tod seiner Ehefrau.*
liegen **an** (D) — *Das liegt ganz allein an dir!*

nachdenken **über** (A) — *Paul denkt über eine Trennung nach.*
neigen **zu** (D) — *Er neigt zu Traurigkeit.*
passen **zu** (D) — *Die Hose passt gut zu deinem Pullover.*
protestieren **gegen** (A) — *Die Arbeiter protestieren gegen die Entlassungen.*

sich rächen **an** (D) — *Sie werden sich an den Politikern rächen.*
sich rächen **für** (A) — *Sie will sich für die schlechte Note rächen.*
raten **zu** (D) — *Ich rate dir zu einer neuen Wohnung.*
rechnen **mit** (D) — *Wir rechnen fest mit dir!*
reden **über** (A) — *Sie reden alle über das Unglück.*
sich richten **nach** (D) — *Die Meinungen richten sich nach den Medien.*
riechen **nach** (D) — *Susi riecht immer nach Rosen.*

schmecken **nach** (D) — *Das schmeckt nach Schokolade.*
schreiben **an** (A) — *Ich schreibe einen Brief an sie.*
schreiben **an** (D) — *Der Autor schreibt an einem neuen Roman.*
schreiben **über** (A) — *Sie schreiben nur über das Abendprogramm.*
schützen **vor** (D) — *Sonnencremes schützen vor Sonnenbrand.*
sich sehnen **nach** (D) — *Sie sehnt sich nach Ruhe.*
sorgen **für** (A) — *Die Mutter kann gut für ihre Kinder sorgen.*

sich sorgen **um** (A)	– *Der Arzt sorgt sich um die Gesundheit.*
sprechen **mit** (D)	– *Wir müssen unbedingt mit ihr sprechen.*
sprechen **über** (A)	– *Alle sprechen über das Fest.*
sprechen **von** (D)	– *Wir sprachen gerade von dir!*
staunen **über** (A)	– *Die Kinder staunen über den Eisbär.*
sterben **an** (D)	– *Viele Patienten sterben an dieser Krankheit.*
sterben **für** (A)	– *Die Soldaten mussten für ihr Land sterben.*
streiten **um** (A)	– *Die Schüler streiten um den besten Platz.*
teilnehmen **an** (D)	– *Der Sportler nimmt an der Olympiade teil.*
telefonieren **mit** (D)	– *Anna telefoniert mit Paul.*
träumen **von** (D)	– *Sie träumt von der großen Reise.*
überreden **zu** (D)	– *Kann ich dich zu einem Ausflug überreden?*
sich unterhalten **über** (A)	– *Die Frauen unterhalten sich über Rezepte.*
sich verabschieden **von** (D)	– *Wir verabschieden uns von Ihnen.*
vergleichen **mit** (D)	– *Das kann man vergleichen mit letztem Jahr.*
sich verlassen **auf** (A)	– *Sie kann sich immer auf ihren Mann verlassen.*
sich verlieben **in** (A)	– *Ich werde mich wieder verlieben.*
verstoßen **gegen** (A)	– *Die Spieler verstoßen gegen die Regeln.*
vertrauen **auf** (A)	– *Sie vertrauen auf ihr Glück.*
sich verwandeln **in** (A)	– *Der Frosch verwandelt sich in einen Prinzen.*
verzichten **auf** (A)	– *Sie muss auf Alkohol verzichten.*
sich vorbereiten **auf** (A)	– *Die Sänger bereiten sich auf den Auftritt vor.*
warnen **vor** (D)	– *Die Polizei warnt vor Alkohol am Steuer.*
warten **auf** (A)	– *Die Kinder warten ungeduldig auf Weihnachten.*
sich wehren **gegen** (A)	– *Man muss sich gegen die Medien wehren.*
sich wenden **an** (A)	– *Damit wenden sie sich jetzt an die Öffentlichkeit.*
sich wundern **über** (A)	– *Man kann sich nur über das Wetter wundern.*
zweifeln **an** (D)	– *Sie zweifelt an seiner Liebe.*

Übungen zu den wichtigsten Verben

1 Setzen Sie die richtige Form von **sein, haben** oder **werden** im **Präsens** ein. Achtung, in einem Fall gibt es zwei Möglichkeiten.

a. Lass uns gehen, mir _____ kalt.

b. _____ ihr auch morgen Zeit? Heute _____ wir Besuch.

c. Wir können nicht kommen. Die Kinder _____ eine Grippe.

d. Iss nicht so viel! Du _____ immer dicker!

e. Es _____ erst 21. 00 Uhr. _____ ihr schon müde?

f. Das _____ meine Eltern.

g. Oh je! Ich _____ dieses Jahr 30.

h. Du _____ nicht allein. Wir _____ alle älter.

i. Das Wichtigste ist, dass wir gesund _____

j. _____ du Hunger?

k. Ihr _____ Eltern? Wie schön!

l. Ich _____ eine Verabredung und ich _____ so aufgeregt!

m. Es _____ so heiß! Wir _____ Durst.

n. Tom kommt nicht mit. Er _____ keine Lust.

2 **Können** oder **dürfen**? Setzen Sie das richtige **Modalverb** ein.

> können   darf   kann   dürfen   kann   kannst

a. David _____ wirklich sehr gut Tango tanzen. (Fähigkeit)

b. Wir _____ viel von ihm lernen. (Möglichkeit)

c. David, _____ du mir bitte helfen? (höfliche Bitte)

d. _____ ich mit Ihnen Tanzen? (Bitte um Erlaubnis)

e. Sie _____ sehr gerne mit mir tanzen. (Erlaubnis)

f. Tut mir leid, ich _____ nicht tanzen. (Fähigkeit)

3 Erinnern Sie sich? Mit **müssen** und **sollen** drückt man eine Verpflichtung aus. Während sich *müssen* auf eine Vorschrift oder absolute Notwendigkeit bezieht, verwendet man *sollen* um einen Rat oder eine (moralische) Verpflichtung auszudrücken. Setzen Sie nun das passende **Modalverb** ein.

a. Man _____ sich dreimal täglich die Zähne putzen.

b. Viele Erwachsene _____ acht Stunden am Tag arbeiten.

c. Kinder _____ viel lernen.

d. Ich _____ nicht lügen.

e. Du bist ein Spitzensportler und _____ viel trainieren.

f. Kinder _____ viel Gemüse essen.

4 Unterstreichen Sie die richtige **Personalform** des Verbs.

a. Wir fahre / fahren / fahrt in den Urlaub.

b. Maria geht / gehst / gehe heute früh nach Hause.

c. Ihr bleibt / bleibst / bleiben doch sicher zum Essen?

d. Die Kinder spielt / spiele / spielen schon seit Stunden im Garten.

e. Du kennt / kennst / kennen sie schon sehr gut.

f. Ich bitte / bitten / bittet dich um diese Tanz.

5 Verbinden sie die passenden Satzteile und bilden Sie sinnvolle Sätze. Achten Sie auf die richtige **Personalform**.

1. Die Hunde	**A.** fliegt	**a.** unser Badezimmer.
2. Wir	**B.** bist	**b.** einen Kuchen.
3. Du	**C.** bellen	**c.** wunderschön!
4. Das Flugzeug	**D** renovieren	**d.** in 1.000 Meter Höhe.
5. Ihr	**E.** backe	**e.** ein lustiges Lied.
6. Ich	**F.** singt	**f.** den ganzen Tag.

6 Vervollständigen Sie die folgenden Fragen und Antworten, indem Sie das entsprechende Verb in der richtigen **Personalform** einsetzen.

> kommen   bleiben   arbeiten   kommen   sehen   heißen   bleiben   arbeiten
>
> sehen   arbeiten   heißen

a. Wie _____ Sie? – Ich _____ Maria Weller.

b. _____ du das Flugzeug am Himmel? – Ja, ich _____ es.

c. _____ ihr heute Abend auf unsere Party? – Natürlich, aber wir

_____ ein wenig später.

d. Wo _____ ihr ? – Ich _____ in einem Büro und mein

Mann _____ in einer Metallfabrik.

e. Wo _____ denn deine Gäste ? – Viele sind schon da, aber ich weiß

auch nicht, wo der Rest _____

7 Bilden Sie die richtige Form des **trennbaren Verbs** im Präsens.

a. _____ (ich – aussuchen)   **b.** _____ (du – einkaufen)

c. _____ (er/sie/es – anrufen)   **d.** _____ (wir – mitkommen)

e. _____ (ihr – aufwachen)   **f.** _____ (sie/Sie – anklopfen)

8 Konjugieren Sie die folgenden **reflexiven Verben** im **Präsens**. Achtung: Überlegen Sie sich zuerst, ob das Reflexivpronomen im *Akkusativ* oder im *Dativ* steht!

a. sich schämen

Reflexivpronomen steht im _____

ich _____ _____

du _____ _____

er/sie/es _____ _____

wir _____ _____

ihr _____ _____

sie/Sie _____ _____

b. sich (etwas) nehmen

Reflexivpronomen steht im _____

ich _____ _____

du _____ _____

er/sie/es _____ _____

wir _____ _____

ihr _____ _____

sie/Sie _____ _____

9 Ergänzen Sie die **Präteritumendungen** dieses regelmäßigen Verbs.

a. ich kauf ____

b. du kauf ____

c. er/sie/es kauf ____

d. wir kauf ____

e. ihr kauf ____

f. sie/Sie kauf ____

10 Ergänzen Sie die drei Tabellen mit **Präteritumformen** dieser unregelmäßigen Verben.

	bitten	**lassen**	**tragen**
ich	____	____	____
du	____	____	_trugst_
er/sie/es	_bat_	____	____
wir	____	____	____
ihr	____	____	____
sie/Sie	____	_ließen_	____

11 Markus erzählt von früher … Ergänzen Sie den Text, indem Sie die richtigen **Präteritumformen** einsetzen.

Früher _____ (**a.** sein) ich ein sehr schüchternes Kind. Ich _____

(**b.** sprechen) mit niemandem und _____ (**c.** haben) Angst vor

fremden Leuten. Wenn meine Eltern Besuch _____ (**d.** bekommen),

_____ (**e.** verstecken) ich mich immer in meinem Zimmer. Doch zum Glück

_____ (**f.** werden) das mit der Zeit besser. In Schule _____

(**g.** machen) wir viel Unsinn und _____ (**h.** ärgern) unsere Lehrer. Sie

_____ (**i.** haben) es wirklich nicht leicht mit uns!

12 Vervollständigen Sie die **Perfekt-Sätze**, indem Sie das richtige **Hilfsverb** einsetzen

a. Wir _____ einen Flug nach San Francisco gebucht.

b. Ich _____ heute zu Fuß gegangen.

c. Ihr _____ zu spät gekommen.

d. Maria _____ die Katze gefüttert

e. Du _____ unsere Eintrittskarten vergessen.

f. Paul und Marlene _____ gemeinsam nach Köln gefahren.

13 Setzen Sie das richtige **Partizip II** der regelmäßigen Verben in Klammern ein.

    a. Ich habe viel _____. (arbeiten)

    b. Hast du den Reiseführer _____? (einpacken)

    c. Holger hat ein Souvenir _____. (kaufen)

    d. Wir haben zu viele Sachen _____. (einkaufen)

    e. Habt ihr wirklich _____? (heiraten)

    f. Unsere Eltern haben schon viele Reisen _____. (machen)

14 Und wieder ist das **Partizip II** gefragt. Aber aufgepasst, diese Verben sind unregelmäßig! Setzen Sie das richtige Partizip II in die Lücke und schreiben Sie anschließend die Infinitivform hinter den Satz.

> getrunken   losgefahren   geflogen   gegangen   gegessen   gesprochen   angesehen

                                                                                 INFINITIV

    a. Ich bin nach Hause _____.   *gehen*

    b. Du hast einen Film _____.   _____

    c. Er hat ohne Unterbrechung _____.   _____

    d. Sie hat viel Schokolade _____.   _____

    e. Wir haben Wein _____.   _____

    f. Ihr seid nach Afrika _____.   _____

    g. Sie Meyers sind schon _____.   _____

15 Diese Sätze sollen im **Plusquamperfekt** stehen. Welche dieser Lückenfüller sind richtig? Kreuzen Sie die richtige Antwort an.

    1. Als Tim kam, _____ Tom schon _____.

        a. war – gegangen   **b.** hatte – gegangen

    2. Ich _____ gerade das Geschirr _____, da klingelte es an der Tür.

        a. hatte – gespült   **b.** wollte – spülen

3. Wir _____ uns gerade an den Strand _____ , als es anfing zu regnen.

    a. waren – gelegen   **b.** hatten – gelegt

4. Als die Polizei endlich eintraf, _____ die Diebe schon _____ .

    a. konnten – flüchten   **b.** waren – geflüchtet

16 Vervollständigen Sie die Sätze im **Futur I**.

> bestehen   machen   essen   gehen   regne   kommen

    a. Was für ein Stau! Wir _____ zu spät _____ .

    b. Ihr habt viel gelernt. Ihr _____ den Test sicher _____ .

    c. Sieh mal, die dunklen Wolken. Es _____ gleich _____ .

    d. Unsere Eltern sind fast 65. Sie _____ bald in Rente _____ .

    e. Tom hat einen Ring gekauft. Er _____ Lisa einen Antrag _____ .

    f. Ich bin zu dick. Ab morgen _____ ich nur noch Gemüse _____ .

17 Diese Sätze sollen im **Futur II** stehen. Setzen Sie die richtigen Hilfsverben und das richtige Partizip ein.

    a. In einem Jahr _____ wir die Schule _____ _____ . (beenden)

    b. An Weihnachten _____ ihr euer neues Haus _____ _____ . (beziehen)

    c. 2040 _____ ich in Rente _____ _____ . (gehen)

18 Setzen Sie die folgenden Präsenssätze ins **Passiv**.

    a. Markus bügelt Marias Bluse.

    b. Ina bucht Flüge immer im Internet.

    c. Die Lehrerin verbessert unsere Fehler.

d. Onkel Tim repariert mein Fahrrad.

_____

e. Die Firma überweist das Gehalt am Monatsende.

_____

19 Setzen Sie auch die folgenden Sätze ins **Passiv**. Achten Sie auf die Zeitform!

a. Ein Dieb bestahl unsere Eltern in der U-Bahn.

_____

b. Unbekannte beschmierten die Wand mit Graffiti.

_____

c. 500 Scheinwerfer beleuchteten die Bühne.

_____

d. Mein Großvater liebte meine Großmutter sehr.

_____

e. Wegen des schlechten Wetters strich die Fluggesellschaft viele Flüge.

_____

20 Wandeln Sie die Passivsätze in **Aktivsätze** um. Achten Sie auf die Zeitform!

a. Mein Bruder ist von einem Hund gebissen worden.

_____

b. Meine Haare sind von dem Friseur viel zu kurz geschnitten worden.

_____

c. Die Kutsche ist von zwei Pferden gezogen worden.

_____

21 Setzen Sie die richtige **Imperativform** in der **du-Form** ein.

    a. _____ leise! (sein)

    b. _____ nicht zu tanken! (vergessen)

    c. _____ das noch einmal durch! (lesen)

22 Setzen Sie die richtige **Imperativform** in der **ihr-Form** ein.

    a. _____ euch sofort! (setzen)

    b. _____ endlich! (schlafen)

    c. _____ doch bitte etwas für mich! (singen)

23 Setzen Sie die folgenden Sätze in den **Konjunktiv Präsens**.

    a. Alexander: „Ich liebe Melda."

    Alexander behauptet, _____.

    b. Herr Möller: „Meine Frau hat viel Geduld."

    Herr Möller sagt, _____.

    c. Sandra: „Die Kinder sind zu faul."

    Sandra glaubt, _____.

24 Füllen Sie den Lückentext aus. Verwenden Sie dabei den **Konjunktiv Präteritum**.

Traumberuf

Wenn ich eine berühmte Schauspielerin _____ (a. sein), dann

_____ (b. haben) ich ein aufregendes Leben. Ich _____

(c. reisen) um die ganze Welt und _____ (d. leben) in vielen exotischen

Ländern und großen Städten. Ich _____ (e. verdienen) sehr viel Geld

und _____ (f. kaufen) mir alles wovon ich schon immer träumte.

Abschlusstest

1 Wie lauten die Infinitive der angegebenen **Präsensformen**?

a.	a. gibt
b.	b. läuft
c.	c. wäscht
d.	d. empfieht
e.	e. fährt
f.	f. ist
g.	g. bricht
h.	h. nimmt
i.	i. fällt
j.	j. sieht

Lösung: _____

2 Wie lautet das **Präteritum** des angegebenen **Modalverbs** in der 1. Pers. Singular? Kreuzen Sie die richtige Antwort an.

1. **können** ☐ **a.** konnte ☐ **b.** könnte
2. **mögen** ☐ **a.** möchte ☐ **b.** mochte
3. **dürfen** ☐ **a.** dürfte ☐ **b.** durfte
4. **müssen** ☐ **a.** musste ☐ **b.** müsste
5. **wollen** ☐ **a.** wollte ☐ **b.** wöllte

3 Diese Sätzen enthalten Verben mit **trennbarem Präfix** – leider sind sie durcheinander geraten. Verbinden Sie die Sätzen mit dem passenden Präfix.

1. Ich lasse den Zucker lieber ...   **a.** ... zu.

2. Du fängst am besten gleich ...   **b.** ... ab.

3. Tom isst sehr viel, aber er nimmt nie ...   **c.** ... weg.

4. Wir denken über einen Umzug ...   **d.** ... nach.

5. Ihr lehnt jede Art von Gewalt ...   **e.** ... auf.

6. Sie hören morgen mit dem Rauchen ...   **f.** ... an.

4 Schauen Sie sich die folgenden Verben an. Welche bilden das **Partizip II** mit -ge- und welche ohne? Kreuzen Sie die richtige Antwort an und schreiben Sie das Partizip II dazu.

	Partizip **mit -ge-**	Partizip **ohne -ge-**	**Partizip II**
a. beißen	☐	☐	_____
b. empfehlen	☐	☐	_____
c. kochen	☐	☐	_____
d. fotografieren	☐	☐	_____
e. entschließen	☐	☐	_____
f. telefonieren	☐	☐	_____
g. spielen	☐	☐	_____
h. denken	☐	☐	_____
i. helfen	☐	☐	_____
j. erkälten	☐	☐	_____

5 Setzen Sie die fehlenden **Imperativformen** ein.

	du-Form	ihr-Form	Sie-Form
a.	*trage!*	_____	_____
b.	*sieh!*	_____	_____
c.	_____	_____	*geben Sie!*
d.	_____	*holt!*	_____
e.	_____	_____	*kommen Sie!*

6 Stehen die folgenden Sätze im **Aktiv** oder im **Passiv**? Kreuzen Sie die richtige Antwort an.

	Aktiv	Passiv
a. Ich habe mich erkältet.	☐	☐
b. Sie wurde nicht beachtet.	☐	☐
c. Du erholst dich langsam.	☐	☐
d. Die Kinder sind gelobt worden.	☐	☐
e. Wir werden abgeholt.	☐	☐
f. Ihr habt das gut gemacht.	☐	☐

Lösungen zu den Übungen

1 **a.** ist/wird, **b.** Habt, haben; **c.** haben, **d.** wirst, **e.** ist, seid; **f.** sind, **g.** werde, **h.** bist, werden; **i.** sind, **j.** hast, **k.** werdet, **l.** habe, bin; **m.** ist, haben **n.** hat

2 **a.** kann, **b.** können, **c.** kannst, **d.** Darf, **e.** dürfen, **f.** kann

3 **a.** soll, **b.** müssen, **c.** müssen, **d.** soll, **e.** musst, **f.** sollen

4 **a.** fahren, **b.** geht, **c.** bleibt, **d.** spielen, **e.** kennst, **f.** bitte

5 1. C. f., 2. D. a., 3. B. c., 4. A. d., 5. F. e., 6. E. b.

6 **a.** heißen, heiße; **b.** Siehst, sehe, **c.** Kommt, kommen; **d.** arbeitet, arbeite, arbeitet; **e.** bleiben, bleibt

7 **a.** ich suche aus, **b.** du kaufst ein, **c.** er/sie/es ruft an, **d.** wir kommen mit, **e.** ihr wacht auf, **f.** sie/Sie klopfen an

8 **a.** Reflexivpronomen steht im **Akkusativ:** ich schäme mich, du schämst dich, er/sie/es schämt sich, wir schämen uns, ihr schämt euch, sie/ Sie schämen sich; **b.** Reflexivpronomen steht im **Dativ:** ich nehme mir, du nimmst dir, er/sie/es nimmt sich, wir nehmen uns, ihr nehmt euch, sie/Sie nehmen sich

9 **a.** -te, **b.** -test, **c.** -te, **d.** -ten, **e.** -tet, **f.** -ten

10 **bitten:** bat, batest, bat, baten, batet, baten; **lassen:** ließ, ließest, ließ, ließen, ließ(e)t, ließen; **tragen:** trug, trugst, trug, trugen, trugt, trugen

11 **a.** war, **b.** sprach, **c.** hatte, **d.** bekamen, **e.** versteckte, **f.** wurde, **g.** machten, **h.** ärgerten, **i.** hatten

12 **a.** haben, **b.** bin, **c.** seid, **d.** hat, **e.** hast, **f.** sind

13 **a.** gearbeitet, **b.** eingepackt, **c.** gekauft, **d.** eingekauft, **e.** geheiratet, **f.** gemacht

14 **a.** gegangen – gehen, **b.** angesehen – ansehen, **c.** gesprochen – sprechen, **d.** gegessen – essen, **e.** getrunken – trinken, **f.** geflogen – fliegen, **g.** losgefahren – losfahren

15 1. a., 2. a., 3. b., 4. b.

16 **a.** werden – kommen, **b.** werdet – bestehen, **c.** wird – regnen, **d.** werden – gehen, **e.** wird – machen, **f.** werde – essen

17 **a.** werden – beendet haben **b.** werdet – bezogen haben **c.** werde – gegangen sein

18 **a.** Marias Bluse wird von Markus gebügelt. **b.** Flüge werden von Ina immer im Internet gebucht. **c.** Unsere Fehler werden von der Lehrerin verbessert. **d.** Mein Fahrrad wird von Onkel Tim repariert. **e.** Das Gehalt wird am Monatsende von der Firma überwiesen.

19 **a.** Unsere Eltern wurden von einem Dieb in der U-Bahn bestohlen. **b.** Die Wand wurde von Unbekannten mit Graffiti beschmiert. **c.** Die Bühne wurde von 500 Scheinwerfern beleuchtet. **d.** Meine Großmutter wurde von meinem Großvater sehr geliebt. **e.** Viele Flüge wurden wegen des schlechten Wetters von der Fluggesellschaft gestrichen.

20 **a.** Ein Hund hat meinen Bruder gebissen. **b.** Der Friseur hat meine Haare viel zu kurz geschnitten. **c.** Zwei Pferde haben die Kutsche gezogen.

21 **a.** Sei, **b.** Vergiss, **c.** Lies

22 **a.** Setzt, **b.** Schlaft, **c.** Singt

23 **a.** ..., er liebe Melda. **b.** ..., seine Frau habe viel Geduld. **c.** ..., die Kinder seien zu faul.

24 **a.** wäre, **b.** hätte, **c.** reiste, **d.** lebte, **e.** verdiente, **f.** kaufte

Lösungen zum Abschlusstest

1 **a.** geben, **b.** laufen, **c.** waschen, **d.** empfehlen, **e.** fahren, **f.** sein, **g.** brechen, **h.** nehmen, **i.** fallen, **j.** sehen; **Lösung:** besprechen

2 1. a., 2. b., 3. b., 4. a., 5. a.

3 1. c., 2. f., 3. a., 4. d., 5. b., 6. e.

4 Partizip mit -ge-: **a.**, **c.**, **g.**, **h.**, **i.**; Partizip ohne -ge-: **b.**, **d.**, **e.**, **f.**, **j.**; **a.** gebissen, **b.** empfohlen, **c.** gekocht, **d.** fotografiert, **e.** entschlossen, **f.** telefoniert, **g.** gespielt, **h.** gedacht, **i.** geholfen, **j.** erkältet

5 **a.** tragt, tragen Sie, **b.** seht, sehen Sie, **c.** gib, gebt, **d.** hol(e), holen Sie, **e.** komm(e), kommt

6 Aktiv: **a.**, **c.**, **f.**; Passiv: **b.**, **d.**, **e.**

Alphabetische Verbliste

In nachstehender Liste sind die wichtigsten schwachen und starken deutschen Verben in alphabetischer Folge aufgeführt. Die Zahlen verweisen auf die Konjugationsnummern der beispielhaft konjugierten Verben. Diese Musterverben sind grün hervorgehoben.
Verben, deren zusammengesetzte Zeiten mit dem Hilfsverb *sein* gebildet werden, und Verben mit wechselndem Gebrauch von *haben* und *sein* sind entsprechend gekennzeichnet. Alle übrigen Verben und alle reflexiven Formen werden mit *haben* konjugiert.
Bei Verben, die ausschließlich reflexiv verwendet werden, steht nach dem Infinitiv das Pronomen *sich*. Können Verben wahlweise reflexiv oder nicht reflexiv benutzt werden, ist *sich* in Klammern gesetzt. *sich*[A] bedeutet dabei, dass das Reflexivpronomen im Akkusativ steht (vgl. Verb Nr. 7), die Angabe *sich*[D], dass es im Dativ steht (vgl. Verb Nr. 8).
Verben mit trennbarem Präfix sind an einem Punkt (·) zwischen Präfix und Verb erkennbar (vgl. Verb Nr. 6 und S. 13). An dieser Stelle wird – sofern vorhanden – beim Partizip II *-ge-* eingefügt.
Verwendete Abkürzungen:

→ 📖	Achtung, Bedeutungsunterschied! Bitte im Wörterbuch nachschlagen.
*	alte Schreibweise (vor Rechtschreibreform)
etw.	etwas
g̶e̶	Partizip wird ohne *ge-* gebildet (siehe S. 15)
KII	Stammvokal des Konjunktivs II
PII	Partizip II
Präs.	Präsens
reg.	regional verwendete Form
sich[A]	Reflexivpronomen steht im Akkusativ (siehe S. 36)
sich[D]	Reflexivpronomen steht im Dativ (siehe S. 38)
unpers.	unpersönliches Verb